Todo lo que brilla

Chris Mercer

ISBN-10: 1-60372-143-6

ISBN-13: 978-1-60372-143-1

TPRS Books
8411 Nairn Road
Eagle Mountain, UT 84005
info@TPRSbooks.com
www.TPRSbooks.com

A Note to the reader

*This fictitious novel contains high-frequency vo-
cabulary and many cognates. It is the perfect
read for beginning to intermediate students.*

*The glossary in the back of the book contains
most of the words, including idiomatic expres-
sions, from the book.*

*The novel is intended for educational entertain-
ment only. The opinions and events in this story
do not represent or reflect those of TPRS Books.
We hope you enjoy the reader!*

ÍNDICE

A Kris E. Lane, profesor y compañero de aventuras,

y

a los mineros artisanales ecuatorianos.
Que encuentren lo que buscan.

For Kris E. Lane, professor and fellow traveler

and

for the small-scale gold miners of Ecuador.
May you find what you are searching for.

Capítulo uno:
Un minero

Hola, soy un minero artesanal. Hace quince años que trabajo en las minas del sur del Ecuador.

El trabajo del minero no es fácil ni seguro, pero lo hago por mi familia. Lo hago para sobrevivir. Todos los días trabajo en un túnel estrecho y oscuro.

El túnel está unos quinientos metros debajo de la tierra. Mis herramientas son simples: un pico, una pala, un martillo y mis propias manos.

Cada día es igual. Me levanto antes del sol y empiezo a trabajar. Entro a la mina y busco el mineral. A veces todo va bien y a veces no. Pero algo es constante: el riesgo. El peligro y la oscuridad son interminables.

Muchos me preguntan por qué lo hago. ¿Por qué arriesgo la vida todos los días? Yo les respondo que nadie se hace millonario haciendo lo que hago. Yo lo hago porque no quiero que mis hijos tengan que ser mineros como yo. Yo lo hago para que ellos puedan tener la educación que yo nunca tuve. Yo lo hago para darles a mis hijos las oportunidades que yo nunca tuve.

Muchas personas creen que yo paso todo el día buscando oro, pero no es así. En realidad yo no busco oro. Busco una vida mejor para mi esposa y mis hijos.

No siempre he sido minero. Hace veinte años era un agricultor que cultivaba frijoles, maíz, col y ají. También tenía animales. Tenía cuyes, gallinas, una vaca y dos cerdos que se llamaban Pepe y Pepita. Tenía algunos terrenos pequeños y una casa humilde en el valle.

Mi vida era simple y más o menos cómoda. Yo vivía como siempre quise vivir. Vivía como vivieron mis padres y mis abuelos. Sin embargo, un día, por cosas que estaban fuera de mi control, mi vida cambió para siempre. Me llamo José Alberto Campos, y ésta es mi historia.

*****

Mi historia empieza cuando tenía dieciséis años. Era un joven típico, impresionable y lleno de energía. No podía dejar de pensar en las chicas.

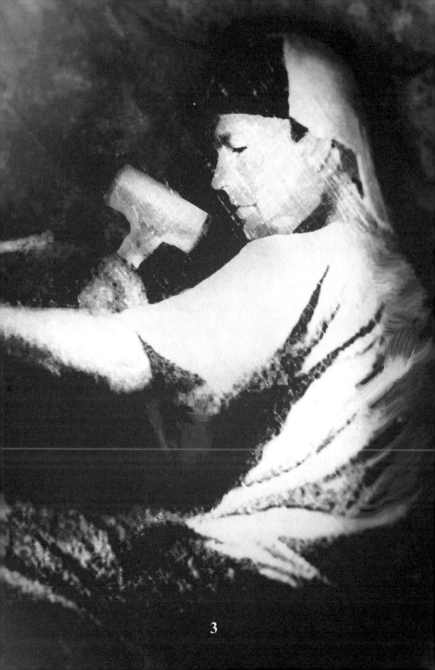

Un día cuando estaba en el mercado del pueblo, vi a una mujer bonita. En un instante **me di cuenta** de que desde ese momento mi vida nunca sería igual.

Yo la vi un día mientras vendía mis cosechas en el mercado. Ella era la mujer más linda que había visto en mi vida. Tenía pelo castaño, ojos cafés, piel de crema y chocolate y una sonrisa que se parecía a la de un ángel. Apenas la vi y supe que la amaba. Fue un amor a primera vista. Sin embargo, **ni siquiera sabía** su nombre y además, yo era sumamente tímido. ¡Qué terrible!

Yo tenía que hacer un plan para conocerla. No fue fácil. Tenía tanto miedo de hablarle. Lo conversé con mi mejor amigo, Ignacio. Ignacio era mi mejor amigo desde que éramos niños. Su padre era amigo de mi padre.

Desafortunadamente, nuestros padres murieron en una tragedia en la costa. Una montaña se cayó después de unas lluvias torrenciales y todos ellos murieron debajo del lodo.

De repente Ignacio y yo **nos quedamos huérfanos**. Ninguno de los dos teníamos más familia. Como Ignacio no tenía casa propia se vino a vivir conmigo. Él era como mi hermano.

Los años pasaron. Ignacio y yo siempre hacíamos deporte. Siempre hablábamos de todo: chicas, trabajo, problemas de la vida…

---

me di cuenta I realized
ni siquiera sabía I didn't even
  know

nos quedamos huérfanos we
  became orphans

Ignacio y yo nos llevábamos tan bien porque éramos opuestos en muchos aspectos. Él era abierto y popular. Yo era más tímido. Él sabía hablar con las chicas muy suavemente.

Yo tenía vergüenza de hablar con las chicas. A él le gustaba cantar y bailar en las fiestas. Yo era más reservado. En las fiestas yo comía muchas papitas fritas y no bailaba nada. Sin embargo, lo que teníamos más en común era nuestro amor por el trabajo duro y los deportes. Siempre jugábamos fútbol en la cancha de nuestro pueblo. También jugábamos EcuaVolley.

El EcuaVolley es una forma de voleibol que se juega en el Ecuador con un balón de fútbol y una red muy alta. Ésos son los deportes más populares en el Ecuador. Ignacio y yo jugábamos muy bien.

Pero, volviendo a la chica hermosa, después de verla en el mercado, le dije a Ignacio:

—¡Ay, caramba! ¡Qué chica más linda! ¡Llama a los bomberos que me estoy quemando!

—Pues, sí. Ella es bonita pero **no te hagas ilusiones**. Yo la conozco. Ella viene de una familia de la clase alta. No va a hablar con un campesino como tú. Lo siento pero ella está **fuera de tu alcance** —respondió Ignacio.

—¡¿Qué me importa su clase social?! Tengo que conocerla, pero necesitaré tu ayuda. Yo no sé hablar con

---

no te hagas ilusiones don't get your hopes up

fuera de tu alcance out of your reach

las chicas. Tú ya has tenido dos novias y yo no he tenido ninguna. ¿Me ayudarás o no? —le respondí, con voz desesperada.

—Claro que te ayudaré. Tú eres mi mejor amigo. Pero te estoy diciendo que ella está fuera de tu alcance.

Esa noche, al regresar a la casa, hicimos un plan para conocer a Emilia.

Capítulo dos:
Emilia

Todos los sábados los campesinos llevaban sus cosechas al mercado. Ignacio y yo nos levantamos muy temprano y pusimos todo en nuestro camión viejo. Salimos para el mercado a las cinco de la mañana. Tuvimos que llegar antes que Emilia para preparar todo para el "encuentro".

Llegamos a las seis y media y preparamos nuestro puesto. Pusimos las canastas de frijoles en una mesa y pusimos las canastas de col y ají en frente de la mesa. Todo estaba preparado. Luego, Ignacio y yo fuimos a ejecutar nuestro plan.

Buscamos a Emilia. Su familia tenía un puesto al otro lado del mercado, el lado de la clase más alta. Su familia vendía productos de cuero.

Ellos tenían una pequeña fábrica al lado de su casa donde hacían bolsas, carteras, fajas y llaveros. Vivían en el centro del pueblo cerca de la plaza y la catedral. Ella no sabía que yo existía pero Ignacio y yo teníamos un plan para cambiar eso.

Caminamos hacia el otro lado del mercado. Olimos las frutas y verduras frescas. Olimos la carne asada que vendían en el mercado. Pasamos por un puesto donde

un hombre vendía plátanos. Ignacio compró un plátano.

Seguimos caminando y hablando cuando de repente vimos el puesto de Emilia. ¡Ella estaba allí! Me di cuenta de que mi corazón palpitaba muy rápido y mi boca se secó. Mis manos empezaron a sudar. De repente tuve miedo y ya no quise cumplir la misión. Le dije a Ignacio:

—No puedo. ¡No puedo hacer esto!

Ignacio me agarró de los brazos y me dijo:

—Has hablado de esta chica toda la semana. ¡No puedes abortar la misión! Tienes que hacerlo. ¡Juntos podemos!

En este momento, me di cuenta de que tenía que olvidar mi miedo y cumplir la misión. Entonces, empezamos a caminar.

Ignacio comía su plátano y caminaba un poco más rápido que yo. Yo caminaba despacio, esperando el momento perfecto de acercarme a la mesa de Emilia. Emilia estaba hablando con un cliente. Ignacio **dejó caer la cáscara** del plátano enfrente del puesto de Emilia.

Yo seguía caminando y mirando a Emilia: sus ojos lindos, su sonrisa bonita, su cara hermosa… de repente, ¡me resbalé con la cáscara del plátano! Con un grito exagerado me caí a los pies de Emilia. Me golpeé la cabeza en la calle y Emilia gritó asustada:

—¡Ay! Pobre muchacho. ¿Estás bien?

---

dejó caer la cáscara dropped the
peel

Ella me agarró de las manos y me ayudó a levantarme. Me dolía la cabeza pero cuando miré sus ojos me olvidé del dolor. Sólo pensé en su belleza. Ella repitió:

—¿Estás bien muchacho? ¿Sabes tu nombre? ¿Sabes dónde estás?

—Pues, cr... creo que sí. Me llamo José, ¿y tú?

—Me llamo Emilia —me dijo con una voz dulce como miel.

—¿Qué me pasó? —le pregunté.

—No sé. Estabas caminando y de repente te caíste... ¡Mira! Creo que te resbalaste en esta cáscara de plátano.

—¡Ay, caramba! ¡Qué mala suerte! —yo mentí.

Ella me ofreció una silla y su mamá me dio un vaso de agua. Hablamos un poco pero no recuerdo mucho de lo que dijimos. Sólo recuerdo su voz suave, su sonrisa linda y sus manos tocando mi cabeza cariñosamente. Al fin, le dije:

—Pues, gracias por tu ayuda. ¿Cómo te puedo pagar?

—No me debes nada. Sólo quiero que vengas a visitarme el próximo sábado.

No sé si fue el golpe en la cabeza o las palabras que me dijo pero en ese momento... yo estaba volando.

Capítulo tres:
Problemas en el paraíso

Cada sábado yo visitaba a Emilia en el mercado. Ella y yo pasábamos tanto tiempo juntos que Ignacio se puso un poco celoso. No me importaba, yo estaba enamorado y el amor no es racional.

Emilia y yo supimos muy pronto que nos amábamos y que queríamos estar juntos. Todo estaba bien. Mi finca crecía y ganaba mucho dinero en el mercado. Sin embargo, un día un hombre llegó a mi casa y cambió todo. Me dijo:

—Hola. ¿Es usted José Alberto Campos?

—Sí —le dije con voz de desconfianza. ¿En qué le puedo servir?

—Me llamo Raúl Ramos. Soy representante de la compañía Frutas Unidas. Frutas Unidas es una compañía de Estados Unidos y queremos comprar todas las tierras en esta zona para crear una gran plantación de banano.

—¿Entonces qué quiere usted conmigo? —le pregunté.

—Queremos comprar su tierra a un buen precio y luego ofrecerle una oportunidad de trabajar en la plantación. **¿Qué le parece?** —me dijo con una sonrisa de serpiente.

—Me parece una mala idea. Vivo bien vendiendo mis productos en el mercado. Lo siento señor, pero no puedo vender.

—¿Está seguro? Le ofreceremos un buen precio por sus terrenos, las cosechas perdidas y también sus materiales de trabajo. Es una oferta que usted no puede rechazar. Además, todos sus vecinos quieren vender. Usted no puede ser el único que no vende. La plantación será muy grande y cubrirá toda la zona.

¿Qué le parece? What do you think?

12

—Estos terrenos han sido propiedad de mi familia por generaciones. No quiero vender todo y luego trabajar para una gran compañía extranjera. Mi herencia, mi cultura y mi forma de vida no tienen precio. ¡No quiero vender!

El hombre me miró con ojos molestos y me dijo en voz baja:

—Es obvio que *tú* no quieres vender ahora, pero yo volveré. Veremos lo que dices *tú* la próxima vez que venga.

El hombre se subió a su carro y se fue. Yo cerré la puerta y empecé a pensar. Estaba enojado y confundido. No sabía qué hacer.

Cuando Ignacio llegó del pueblo por la noche, le dije todo lo que pasó con el hombre de la compañía. Él se enojó y dijo:

—Me parece que no puedes confiar en ese hombre. Me parece que ese hombre tiene motivos malos. ¿Qué vamos a hacer?

—No sé. Espero que no regrese pero pienso que va a regresar algún día.

En los días siguientes estaba muy preocupado. El sábado, cuando fui al mercado le dije a Emilia:

—Emilia, un hombre llegó a la finca el otro día. Me dijo que una compañía grande quería comprar la finca. Él dijo que todos los vecinos iban a vender sus terrenos y que yo también tendré que vender.

Ella respondió con voz preocupada:

—Pero tu finca va bien. Tú no debes vender. **Le caes bien a mi padre**, pero él me ha dicho que no permitirá que me case con alguien que no tenga un buen trabajo porque no quiere que yo sufra angustias económicas.

Mi padre no aceptaría nuestro matrimonio **si no tuviéramos de qué vivir**. Dijo que con el dinero que estás ganando en el mercado, él no tiene problema con nuestra relación. Te quiero, José. No quiero perderte.

—Yo también te quiero. No voy a vender la finca. Un día cuando tenga suficiente dinero, vamos a casarnos y vivir juntos en la casa. Vamos a tener hijos y a mantener la finca —le respondí.

Yo estaba muy preocupado pero no quería admitirlo. Le sonreí y le dije que **todo iba a salir bien**. Pero en mi corazón, tenía mucho miedo.

---

le caes bien a mi padre my father likes you
si no tuviéramos de qué vivir if we didn't have anything to live on

todo iba a salir bien everything was going to turn out fine

Capítulo cuatro:
La invasión

Tres meses pasaron y no supe nada de Raúl Ramos. Yo había vuelto a mi rutina ordinaria y no pensaba en Frutas Unidas. Sin embargo, un día después de trabajar en los campos, miré una carta en el buzón. Mi estómago dio una vuelta. El sobre pareció muy oficial. Abrí la carta enseguida y leí:

Estimado Señor José Alberto Campos:

Ha llegado a nuestra atención que usted ocupa terrenos que han sido obtenidos por nuestro departamento para vender a una compañía extranjera. Frutas Unidas recibió una concesión gubernamental por sus esfuerzos al desarrollo económico nacional.

Por lo tanto, a partir del 15 de mayo, sus terrenos serán propiedad de la compañía Frutas Unidas. Le incluimos con esta carta un cheque de quinientos mil sucres que cubrirá el costo de sus terrenos y las cosechas perdidas. Gracias por su colaboración en este proyecto de desarrollo nacional.

Atentamente,

Raúl Ramos
Ministerio de Agricultura
Gobierno Nacional del Ecuador

Yo no sabía qué hacer. Estaba temblando de furia. Yo le había dicho a Raúl Ramos que no quería vender. Yo quería llorar de furia pero no me salieron lágrimas.

Pensé en mi familia, mis padres, mis abuelos. Era la finca donde yo nací y no quería dejarla nunca. Pensé en Emilia y en que podría perderla si no tuviera suficiente dinero. Quinientos mil sucres no eran suficientes para comprar terrenos nuevos y una casa. **¡No alcanzaba para nada!** Sin mi finca, su padre no iba a aceptar nuestra relación. Yo me enojé tanto que de inmediato rompí el cheque y la carta y los tiré a la basura.

*****

Llegó el día en que teníamos que salir. Ignacio y yo decidimos no irnos. Decidimos quedarnos y protestar. Eran las diez de la mañana y vimos unos camiones en la distancia. Se estaban acercando y me di cuenta de que eran camiones militares.

—¡Allí vienen los soldados! —dijo Ignacio.

—No lo puedo creer —respondí.

Ecuador era un país pacífico por lo general. **Nunca se nos habría ocurrido ver** soldados por allí. Pero allí estaban, tres camiones militares en camino a nuestra casa. Salí al patio y los esperé con Ignacio.

Llegaron los soldados. Un hombre salió en un traje

¡No alcanzaba para nada!
It wasn't enough for anything!

nunca se nos habría ocurrido ver
it never would have occurred to us
that we would see

negro. No era soldado. ¡Era Raúl Ramos! Él sacó una hoja de papel y leyó:

—José Alberto Campos, bajo las órdenes del Ministerio de Agricultura del Ecuador, declaro que esta finca ya es propiedad de la compañía Frutas Unidas. Por lo tanto, usted y sus compañeros tendrán que dejar estos terrenos inmediatamente.

Ignacio gritó:

—¡Nunca nos iremos!

Yo también dije:

—¡No queremos vender! **¡Ya te lo dije!**

Raúl Ramos respondió:

—No importa lo que quieran o no quieran. **Ya está hecho**. No se pueden quedar.

Raúl miró a los soldados y dijo

—Sargento, tome la casa y arréstelos.

Enseguida los soldados se bajaron de los camiones y corrieron hacia nosotros.

Ignacio y yo salimos corriendo. No hubo otra opción.

Subimos al camión viejo y manejamos rápidamente hacia las montañas.

Los soldados nos persiguieron por unos minutos pero los perdimos en los caminos del bosque. Manejamos hacia una cabaña que mi tío construyó cuando yo era niño. Allí podríamos descansar y decidir qué hacer.

¡Ya te lo dije! I already told you!   **ya está hecho** it's already done

17

Llegamos a la cabaña a las diez de la noche. No había nadie allí. Abrimos la puerta y vimos una mesa pequeña, una cama sin colchón y mucho polvo. Allí hablamos.

—¿Y ahora qué vamos a hacer? —le dije a Ignacio.

—No sé. Pero yo quiero matar a Raúl Ramos. Él nos robó la casa y la finca.

—Ignacio, no vas a matar a nadie. Estoy hablando en serio. No tenemos casa. No tenemos trabajo. Además, los soldados nos estarán buscando. Y Emilia, ¿qué voy a hacer con ella? Ahora no puedo volver al mercado. Sin duda los soldados estarán allí.

Ignacio pensaba sin decir nada. Sólo miraba al suelo por mucho tiempo en silencio.

Por fin dijo:

—José, ¿recuerdas a Antonio, nuestro compañero del equipo de fútbol?

—Sí, lo recuerdo.

—Pues, él se fue a vivir a un pueblo en las montañas. Se hizo minero. El pueblo se llama Nambija y la gente dice que allí es muy fácil encontrar oro.

—Pero… no somos mineros, no sabemos nada de eso —le respondí.

—No importa. Podemos buscar a Antonio y él nos puede enseñar. Él me dijo que hay mucho oro allí y que podríamos trabajar con él. ¿Te gustaría ir?

—Pues, quiero pensarlo esta noche y te lo diré por la mañana. No sé. Me parece muy loco y peligroso.

18

—Sí, es verdad, es loco y peligroso. Pero quedarnos aquí también es loco y peligroso. Aquí no tenemos nada.

Yo me acosté en el suelo, cerré los ojos, y me dormí. Pensaba en Emilia. Pensaba en que la única manera de casarme con ella sería ganar dinero como minero.

Por la mañana me desperté y le dije a Ignacio que quería ir a Nambija. Quería hacerme minero.

Capítulo cinco:
La carta

Nos despertamos a las cinco de la mañana. Yo no había dormido bien. Me dolía la espalda por estar en el suelo. También tenía hambre.

Salimos de la cabaña, subimos al camión y nos fuimos para Nambija. No sabíamos exactamente dónde quedaba Nambija pero sabíamos que estaba en el sureste del país, en la selva, cerca de Perú.

Yo manejé tres horas y después Ignacio manejó tres horas más. Continuamos así hasta llegar a un pueblo pequeño al lado de la selva.

Era el último pueblo antes de dejar la carretera principal y entrar a la selva. En el pueblo no había mucho: un hotel barato, un restaurante y un correo pequeño. En el correo le mandé una carta a Emilia.

Querida Emilia:

Ya sabes que Ignacio y yo tuvimos que huir de la finca. Los soldados llegaron, tomaron la finca y trataron de arrestarnos.

Ahora no podemos volver.

Emilia, yo te quiero. Yo quería llevarte conmigo pero sin dinero tu padre nunca te dejaría ir. Además, yo quiero casarme contigo y necesito una vida estable y segura para darte todo lo que necesitas.

Mi amor, no te puedo decir adónde voy. Pero estoy buscando una manera de ganar suficiente dinero para casarnos algún día.

Siempre estarás en mi corazón. Y yo siempre estaré en el tuyo. Te prometo que un día volveré.

Con todo mi corazón,

José

Cerré la carta con un beso y la eché en el buzón.

*****

Al siguiente día, Ignacio y yo vendimos el camión viejo por doscientos mil sucres.

Ya no había estaciones de gasolina ni carreteras para llegar a Nambija. Para llegar, había que ir en lancha durante un día entero hasta un sendero. De allí, había que caminar tres días por la selva y las montañas hasta llegar finalmente a Nambija.

En el pueblo pequeño compramos comida, machetes, picos, palas, martillos y lámparas de carburo. Pusimos todo en las mochilas y fuimos al río para buscar una lancha.

Al llegar al río un hombre se nos acercó. Llevaba una camisa café, de cuadros. La camisa estaba abierta para mostrar que era un hombre de pelo en pecho. Tenía

22

un estomago muy gordo y un diente de oro que brillaba en el sol. Nos dijo con una sonrisa:

—¡Hola! Alfonso Figueroa, a sus órdenes. ¿Buscan una lancha?

Ignacio le respondió:

—Sí, **¿cuánto cobra por llevarnos** al sendero de Nambija?

La cara de Alfonso cambió dramáticamente:

—¿Quieren ir a Nambija? Ustedes saben que Nambija es un lugar muy lejano y muy peligroso. Dicen que es muy difícil llegar y aun más difícil regresar. ¿Están seguros de que quieren ir allí?

—Sí, queremos ir. ¿Cuánto cobra? —yo le dije firmemente.

—Pues, para dos personas, con las mochilas, son cincuenta mil sucres.

—Cuarenta —le dijo Ignacio. Alfonso sonrió y le dijo:

—Pues, está bien. Salimos mañana a las seis de la mañana.

Ignacio y yo buscamos un lugar para dormir. El hotel era pequeño y no tenía muchos dormitorios. Llegamos allí y un hombre con sólo un ojo nos habló:

—¿Buscan un dormitorio?

—Sí —le dije.

—Sólo queda un dormitorio más. Es el más pe-

¿Cuánto cobra por llevarnos…?
How much do you charge to take us…?

queño y tiene dos camitas pequeñas. Cuesta diez mil sucres.

—Está bien. Lo queremos —le dije.

Estábamos muertos de cansancio y queríamos dormir. Subimos al dormitorio, echamos las mochilas en el suelo y nos acostamos.

La luna llena brilló toda la noche. La miré por la ventana. Yo pensé en Emilia. Me pregunté si ella estaba mirando la luna también. Cerré mis ojos y me dormí.

Capítulo seis:
A Nambija

Ignacio y yo nos levantamos a las cinco de la mañana.

Aunque yo estaba acostumbrado a bañarme en agua fría, creí que el hotel tendría agua caliente, pero me equivoqué. Al abrir la llave de agua caliente, no salió agua. Así que, como siempre, tuve que ducharme en agua fría.

Bajamos la escalera vieja con las mochilas. Entregamos la llave al hombre de un solo ojo y salimos a la calle. El sol estaba apenas saliendo y escuchamos los gritos de los gallos. ¡Quiquiriquiiií!

La calle era de tierra o, **mejor dicho**, de lodo porque había llovido. Olimos el humo de las cocinas en las casas. La neblina estaba encima del río y me pareció muy extraño. Un hombre nos pasó en una motocicleta ruidosa.

Ignacio vio un restaurante pequeño. Me dijo:

—Tengo hambre, vamos allí para comer.

—Bueno, está bien.

Entramos y nos sentamos en una mesita cuya superficie estaba **forrada de plástico**. Pedimos huevos,

---

mejor dicho rather, actually (better said)

forrada de plástico covered with plastic

25

arroz y frijoles y un café con leche. La comida estuvo deliciosa.

—¡Es increíble! Hoy empezaremos una nueva vida como mineros. ¿Estás listo, Ignacio?

—Sí, no hay otra cosa que hacer. Ésta es la mejor oportunidad que tenemos —respondió con la boca llena de arroz.

—Yo sé, pero estoy un poco nervioso. Ni siquiera sabemos adónde vamos. ¿Estás seguro de que Antonio quiere que vayamos allí? ¿Qué vamos a hacer si él no está o si no quiere ayudarnos? —le dije preocupado.

—Mira, ya estamos aquí, no podemos volver. Si quieres casarte con Emilia, tienes que arriesgarte. No te preocupes. Juntos podemos —respondió Ignacio con confianza.

—Tienes razón. Quiero casarme con Emilia más que nada. Creo que podemos tener éxito con trabajo duro y un poco de fe —le dije con ánimo.

—¡Así es! ¡Vamos a triunfar! —Ignacio gritó.

Un hombre viejo que estaba leyendo el periódico nos miró y nos dijo con humor:

—¿**Demasiado café**?

Nos reímos y salimos con energía y confianza.

Caminamos hacia el río con nuestras grandes mochilas y buscamos la lancha de Alfonso Figueroa. Él **se nos acercó** sonriendo. Su diente de oro brillaba en el sol. Nos dijo:

---

demasiado café too much coffee   **se nos acercó** approached us

—Buenos días. ¿Están listos para el viaje?

—¡Sí! —le dijimos con mucho ánimo. Queríamos llegar a Nambija lo más pronto posible. La lancha nos pareció poco sólida pero no nos importaba. Subimos rápidamente.

—¿Tienen el dinero? —nos preguntó Alfonso.

—Sí, tome veinte mil sucres ahora y el resto cuando lleguemos al sendero —le dijo Ignacio.

—No me gusta esto. ¿Cómo puedo estar seguro de que me van a pagar? ¿Dónde está el resto del dinero? —respondió irritado.

—Tenemos el dinero. Está en las mochilas. No se preocupe. Si nos deja en el sendero de Nambija, recibirá el resto del dinero —le dije.

El viaje era largo y difícil. No había mucho espacio en la lancha y me sentía incómodo. Alfonso hablaba mucho con Ignacio. Estaban hablando de muchas cosas: el clima, los deportes, la política y otras cosas.

Yo no prestaba atención. Yo no quería hablar. Yo sólo pensaba en Emilia. Estaba soñando despierto cuando pasamos por un pueblo pequeño.

En el pueblo había unos indígenas. Estaban pescando en el río y usaban una lancha de madera. Estaba hecha de un tronco de árbol y un hombre que estaba de pie manejaba la lancha usando un palo largo.

Ignacio le preguntó:

—¿Quiénes son?

Alfonso le respondió:

—Ellos son los shuar. Años atrás, ellos estaban muy aislados y no tenían mucho contacto con el mundo moderno. Aun hoy muchos viven en la selva buscando su comida con rifles y redes. Algunos todavía usan cerbatanas.

—Me parece interesante. ¿Por qué no terminan de integrarse al mundo moderno? —respondió Ignacio.

—Porque tienen una tradición de independencia. Cuando llegaron los españoles hace muchos siglos, los españoles hicieron esclavos a los shuar.

Los forzaron a buscar oro en minas peligrosas. Abusaron mucho de ellos. Entonces, los shuar decidieron rebelarse y buscar la libertad —le respondió Alfonso.

—Muchos grupos se rebelaron pero no todos ganaron la libertad —respondí yo.

—Pues, los shuar tenían una forma de vida que les ayudó a ganar la libertad. No tenían pueblos grandes sino que vivían en grupos familiares pequeños. Era muy difícil para los españoles vencerlos.

Los shuar atacaban a los españoles por la noche y se retiraban a la selva. Después de muchas pérdidas, los españoles se rindieron y dejaron a los shuar en paz. Los shuar lucharon con mucha pasión y fuerza. Dicen que cuando el gobernador español llegó para demandar más oro, los shuar se rebelaron y le echaron oro caliente en la boca.

—¡Ayayay! —dijo Ignacio—. Yo no quiero problemas con ellos.

—Me parece bien —le dije—. Los españoles no tenían derecho de hacerlos esclavos. Las personas deben tener la libertad de vivir como quieran.

Yo estaba pensando en Raúl Ramos y la compañía Frutas Unidas. Después de navegar un rato más en el río, Alfonso dijo:

—Bueno, compañeros, aquí estamos.

La lancha se acercó a una pequeña playa.

—¿Ya llegamos? No hay nada aquí —le dije preocupado.

—No hay problema —me dijo Alfonso—. Allí empieza el sendero. Está un poco más allá de la playa.

Yo miré pero no vi nada. Sólo había palmeras, arbustos y plantas densas. Miramos a Alfonso otra vez pero él insistió en que el sendero estaba allí.

Ignacio y yo estábamos cansados de estar en la lancha por tantas horas. Queríamos salir para estirar las piernas. Entonces, nos bajamos de la lancha. Caminamos un poco más allá de la playa y buscamos el sendero.

De repente escuchamos el motor de la lancha. Miramos hacia el río y Alfonso estaba saliendo rápidamente… ¡y tenía nuestras mochilas!

Le gritamos pero fue demasiado tarde. Alfonso nos miró una vez más, su diente de oro brillaba en el sol. Él nos había dejado solos y perdidos en la selva… en medio del territorio de los shuar.

Capítulo siete:
La selva

Aquella noche fue terrible. No sabíamos qué hacer. No teníamos comida ni nuestras mochilas. Sólo teníamos la ropa que llevábamos, dos cuchillos y veinte mil sucres que teníamos en nuestros bolsillos.

—Nunca debimos confiar en Alfonso —me dijo Ignacio con disgusto.

—No me digas —le dije sarcásticamente.

—¿Ahora qué vamos a hacer? —me dijo Ignacio—. No tenemos comida ni las mochilas. ¡Tenemos un poco de dinero pero estamos en la selva! ¡Ni siquiera tenemos fósforos para hacer un fuego!

—Yo no sé qué vamos a hacer. Pero tenemos que estar tranquilos —le dije irritado.

—¿¡Tranquilos!? —me gritó Ignacio—¡Estamos en medio del territorio shuar, un hombre gordo nos robó las mochilas, no tenemos comida ni donde dormir ¿¡y tú quieres que yo esté tranquilo!?

—¡Cállate, Ignacio! No queremos llamar la atención de los shuar. Estamos en peligro pero juntos podemos sobrevivir.

Ignacio respiró profundamente y se tranquilizó.

—Tienes razón, José. Juntos podemos sobrevivir, solos no.

Después de unas horas me dormí incómodo, con hambre y totalmente agotado.

Al siguiente día nos levantamos cansados. Teníamos mucha sed y hambre pero no queríamos beber el agua del río. Nos pareció sucia, llena de lodo. Decidimos buscar un arroyo y algo para comer en la selva.

Entramos a la selva y empezamos a caminar. No había ningún sendero pero la selva no era tan densa después de caminar un rato.

En la selva vimos muchas plantas pero **nada que pareciera comida**. También vimos muchos insectos. Vimos mariposas exóticas, mosquitos enormes, arañas de muchos colores y unos gusanos gordísimos. Éste no era ningún paraíso.

Caminamos todo el día buscando un arroyo con agua fresca pero no encontramos ninguno.

Al mediodía nos sentamos totalmente agotados en un tronco.

—¡Ay, Dios! —dijo Ignacio—. ¡Qué cansado estoy! ¡Tengo una sed que me mata!

—Sí, es verdad. Parece que estamos totalmente perdidos. ¿Qué vamos a hacer?

---

nada que pareciera comida
nothing that seemed like (or looked like) food

—No sé —dijo Ignacio—. No sé…

La segunda noche fue peor que la primera. Los mosquitos nos comieron. No dormimos bien y nos levantamos sumamente agotados.

Entramos otra vez a la selva y seguimos buscando agua fresca. No encontramos un arroyo pero bebimos el agua que se había condensado en las hojas de las palmeras. También tratamos de abrir unos cocos pero eran muy duros.

Usamos los cuchillos y unas rocas y por fin logramos abrir uno. Bebimos el agua del coco rápidamente y también comimos su carne blanca. Por fin, encontramos comida y bebida.

Era la tercera noche. No habíamos visto a ninguna persona en tres días. Nos sentamos en la playa y hablamos.

—¿Qué podemos hacer? Me parece una situación imposible —le dije a Ignacio.

—Sí, a mí también me parece una situación terrible. Pero no podemos rendirnos ahora. Todavía tengo esperanza de salvarnos.

De repente, escuchamos un sonido en la selva. Algo grande se movía por los árboles cerca de nosotros.

—Shh, ¿qué fue eso? —le susurré a Ignacio.

Nos quedamos en silencio por cinco minutos. Cinco minutos que parecían un año. ¿Fue el viento? ¿Fue un animal? ¿Fue… un guerrero shuar? El silencio terminó cuando oímos unas voces, unas voces que no estaban hablando español.

Capítulo ocho:
El encuentro

De repente, cinco hombres salieron de la selva con rifles, machetes y una cerbatana. **Nos rodearon** y uno nos dijo en un español muy básico:

—¿Quiénes son? ¿Por qué están aquí?

Le respondí:

—Somos amigos… No queremos problemas. Un hombre con una lancha nos dejó aquí en esta playa. No tenemos nada. Tenemos solamente hambre y sed.

El hombre que había hablado tradujo lo que yo había dicho al resto del grupo. Ellos le contestaron en el idioma de los shuar.

Ignacio les dijo:

—¿Quiénes son ustedes?

El hombre que hablaba español nos dijo:

—Somos de la familia Tantanquí, de la nación shuar. Ustedes van a venir con nosotros.

Me pareció que no había otra opción. Ignacio y yo no podíamos luchar ni escapar. Sólo podíamos seguirlos. ¿Hasta dónde? No teníamos ninguna idea. Quizás… a la muerte.

El camino era visible gracias a la luna, que brillaba tristemente sobre la selva.

---

nos rodearon they surrounded us

Caminamos por mucho tiempo con dos hombres enfrente de nosotros, dos detrás y el hombre que hablaba español estaba a nuestro lado.

No podíamos caminar muy rápido porque nuestros zapatos estaban llenos de arena y sumamente mojados. Nos dolían los pies y casi no habíamos comido en tres días. Después de una hora llegamos a una apertura en la selva. Era la media noche.

El hombre dijo:

—Ya llegamos. Ustedes van a dormir aquí.

Los otros hombres desaparecieron. Pero uno volvió con dos colchones de paja, dos platos de yuca y dos tazas de agua. Comimos rápidamente.

El hombre que hablaba español nos dijo:

—Buenas noches. Nos vemos por la mañana.

Ignacio le dijo:

—Espere, ¿cómo se llama usted?

El hombre nos miró y dijo:

—¿Yo? Yo me llamo Tatatangüí. Pero mis amigos me llaman Tangüí —nos sonrió de una manera extraña—. Bienvenidos al territorio shuar.

Aquella noche tuve muchos sentimientos: terror, alivio, desesperación y dolor. Ya no tenía hambre ni sed y me sentía mucho más cómodo que antes, pero también tenía mucho miedo. Tenía miedo de los shuar. **Al fin y al cabo** éramos sus prisioneros y no sabíamos qué iban a hacer con nosotros.

Sólo quería hablar con Emilia. Quería verla y tocar su pelo. Quería decirle que la amaba. Quería decirle que iba a regresar para casarme con ella. La imaginaba en mi mente y escuchaba su voz suave. Me susurraba:

—José, te quiero. Te necesito. Estoy aquí contigo.

Me levanté rápidamente y vi que Ignacio dormía. Volví a mirar de dónde venía la voz de Emilia. Escuché su voz otra vez:

—José, estoy aquí, en la selva. Ven a mí. Te quiero abrazar.

Era Emilia de verdad. Sólo ella tenía esa voz tan linda. Me pareció que la voz venía de un árbol cerca de mí. Le dije:

—Emilia, ¿eres tú? ¿Cómo llegaste aquí? ¿Cómo supiste llegar?

Empecé a correr hacia la dirección de la voz.

Ella respondió:

---

al fin y al cabo after all

—La policía capturó a Alfonso cuando él trataba de vender sus mochilas. Después de un interrogatorio en la estación de policía, Alfonso **les dijo donde los había dejado**. Después de eso, llegamos a rescatarlos.

—Pero, Emilia, ¡estás en peligro! Los shuar están aquí y pienso que nos van a matar mañana.

Yo corrí hacia el árbol y cuando llegué a la voz, traté de abrazar a Emilia cuando de repente me caí en un túnel totalmente oscuro. Abajo, abajo y abajo. Yo fui gritando fuertemente:

—¡¡¡Emiiiiiliaaaaaaaaaaaa!!!

*****

—¡¿Qué pasa?!

—¡Despiértate, José! —gritó Ignacio. Me estaba agitando fuertemente.

—¿Qué? ¿Emilia? ¿Dónde está Emilia? ¿El túnel? Ignacio, ¿qué haces? Me caí en el túnel. Emilia está aquí. Ella vino con la policía para rescatarnos.

—¡No! No es verdad. Estabas soñando. No hay nadie para rescatarnos. Somos prisioneros de los shuar. No hay ningún túnel aquí. Fue una pesadilla —me dijo Ignacio.

—¿Qué? Pero fue tan real. Oí la voz de Emilia. Ella estaba detrás de este árbol. Me caí en el túnel.

Caminé al árbol. Emilia no estaba y no había ningún

---

les dijo donde los había dejado
he told them where he had left you

túnel.

De repente apareció Tangüí y me dijo:

—**Lo que usted vio** no era de este mundo. Era una visión supernatural. **Eso es lo que les pasa a las personas** que pasan días en la selva sin comer ni beber.

Nosotros nos quedamos en silencio. De día podíamos ver mejor a Tangüí. Era un hombre no muy alto con pelo negro y largo. Llevaba ropa vieja: unos jeans viejos y una camiseta roja con el número trece en la espalda. Era delgado y fuerte y tenía un tatuaje en su brazo derecho. El tatuaje era de una cabeza que tenía una cara de medio hombre y medio jaguar.

Nos llevó comida en las manos: carne y yuca. Nos ofreció la comida y se sentó con nosotros para comer.

—¿Por qué están aquí? —nos preguntó.

—Íbamos a Nambija para trabajar como mineros. Pero el conductor de la lancha, **un tal** Alfonso Figueroa, nos dejó en la playa y nos robó las mochilas —le dijo Ignacio con la boca llena de yuca.

—¿Ustedes quieren oro? Mi gente ha sufrido tanto por el oro. Los de afuera siempre quieren el oro. ¿Y para qué? No lo puedes comer ni usar.

—Sí, es verdad. El oro no tiene usos prácticos, pero vale mucho. Con oro puedes comprar mucho, como una casa y comida —le dije—. ¿Qué vas a hacer con nosotros? ¿Somos tus prisioneros?

—¡Ja ja ja! —Tangüí se rió—. No son prisioneros.

---

lo que usted vio what you saw
eso es lo que les pasa a las
    personas... that is what happens
    to people...

un tal... a guy named...

Pueden salir ahora mismo si quieren. Nadie los va a parar.

—Pero, ustedes son los shuar. Ustedes matan a los de afuera, ¿verdad?

—Nosotros no somos salvajes. Somos personas normales pero **no nos gusta ser molestados**. Cuando nos dimos cuenta de que ustedes no iban a sobrevivir en la selva, decidimos salvarlos. Por eso ahora están aquí.

Tangüí nos explicó cómo ellos viven en la selva.

Los shuar viven en grupos familiares y cultivan verduras para comer. Cultivan frijoles, yuca, fruta y más. También cosechan plantas medicinales en vez de usar la medicina convencional.

Los hombres cazan animales silvestres con rifles y cerbatanas. Sus casas son simples pero buenas. Tienen

---

no nos gusta ser molestados
we don't like to be bothered

techos de hojas y paja.

Nos quedamos tres días con los shuar. Durante ese corto tiempo los shuar nos enseñaron muchas cosas.

Cuando habíamos recuperado fuerzas, nos dijeron que nos iban a llevar a Nambija.

Resulta que Nambija no estaba tan lejos de allí. Quedaba a dos días de camino hacia el noreste.

Tangüí y su hermano nos dieron comida y dos machetes y nos acompañaron al sendero para Nambija.

Una vez allí, le dije:

—Tangüí, ¿cómo les puedo pagar? Ustedes nos salvaron de una muerte terrible en la selva y luego nos han enseñado tantas cosas y nos han tratado tan bien.

Tangüí respondió:

—No importa. No se preocupen. Ustedes son buenas personas y queremos que les vaya bien. Si encuentran mucho oro, si quieren, vuelvan con alguna cosa, algo que nos pueda servir.

—¿Qué, qué les gustaría? —le dijo Ignacio.

—Pues, queremos un filtro de agua. De vez en cuando nuestros niños se enferman por beber agua contaminada. Con un filtro podríamos limpiar el agua antes de beberla.

—Claro que sí —le dije.

Pensé que no era una cosa muy grande ni extravagante. Pensé que para ellos, lo más importante era vivir y mantener su cultura.

Nos abrazamos y nos despedimos. No sabía si iba a volver a ver a Tangüí algún día.

Capítulo nueve:
La ciudad de plástico

Caminamos dos días por el sendero hacia Nambija. El sendero no era bueno y en algunas partes tuvimos que gatear para subir la montaña.

Cuando la comida que teníamos se terminó, tuvimos oportunidad de aplicar algo de lo que habíamos aprendido: no pasamos hambre porque los shuar nos habían enseñado cómo encontrar comida en la selva.

Buscamos cocos y frutas. Incluso habíamos aprendido a comer gusanos que viven en los troncos de árboles muertos, pero por suerte **no fue necesario llegar a tanto**.

Dormimos debajo de casitas que construimos de árboles y hojas grandes. Habíamos aprendido mucho de los shuar. Sin su ayuda, nunca habríamos llegado a Nambija.

Durante la mañana del segundo día, salimos de la selva y vimos una montaña grande llena de miles de personas. Las personas parecían hormigas. Todos estaban caminando. Estaban entrando y saliendo de los túneles.

Nosotros **nunca podríamos haber imaginado** tal

---

no fue necesario llegar a tanto
  it wasn't necessary to go to that extreme

nunca podríamos haber imaginado we could never have imagined

situación. Había tantas personas en la montaña, tantas personas buscando la misma cosa, tantas personas buscando oro, o quizás, una vida mejor.

Tuvimos que caminar medio día más para llegar al centro de Nambija. Cuando llegamos, era de noche y buscamos donde dormir.

No había ningún hotel. Tampoco había casas. Todo el pueblo era improvisado y no tenía mucho orden. Las personas dormían en casitas de plástico.

Nosotros no teníamos donde dormir, así que dormimos bajo las estrellas. Hacía más frío en las montañas y no teníamos fuego. La noche fue larga e incómoda.

Ignacio dijo:

—Bueno, aquí estamos. Por la mañana podemos buscar a Antonio. Él nos ayudará.

—Espero que sí —le dije—. De lo contrario estaremos en problemas, porque además de él, no conocemos a nadie.

Aquella noche, me quedé despierto por un rato pensando en Emilia. Miré la luna que alumbraba la montaña. Escuché las voces de algunos mineros que trabajaban de noche.

Pensé en nuestra situación y deseaba tener a Emilia en mis brazos otra vez. La primera vez que escuché de Nambija, pensé que era una ciudad de oro, pero ahora sabía la verdad: Nambija era un lugar de rocas, plástico y lodo… mucho lodo.

*****

El pueblo estaba despierto antes de las cinco de la mañana. Todos los trabajadores caminaban hacia sus túneles.

Había todo tipo de personas. Había mujeres tanto como hombres, y niños tanto como adultos. También había gente vieja.

Las personas venían de todas partes del Ecuador y algunos eran de Colombia, Perú y Chile.

Habían escuchado de las minas de Nambija y querían salir de la pobreza. Llegaban con muy pocas herramientas: picos, palas, martillos y sus manos.

Nosotros nos levantamos y empezamos a preguntar a los mineros si conocían a nuestro amigo Antonio.

Muchas personas no nos miraban porque estaban cargando bolsas pesadas de mineral. No tenían energía para parar y hablar con nosotros. Todos parecían muy concentrados en su trabajo.

A las nueve de la mañana teníamos mucha hambre y vimos a una mujer que vendía arroz con pollo.

—Perdón, señora, ¿nos podría vender arroz con pollo? —le dijo Ignacio.

—Cuesta mil sucres —le respondió. Le pagamos y comimos la comida rápidamente.

—Pues, señora, ¿usted conoce a un minero que se llama Antonio Pérez? —le pregunté.

—Mmm... Antonio Pérez, **me suena**. ¿Cómo es? —le respondió.

—Pues, es más o menos alto, tiene pelo un poco largo y es flaco. Y le encanta jugar fútbol —le dijo Ignacio. Ella nos miró sospechosamente y nos preguntó:

—¿Por qué lo buscan? ¿Cómo se llaman ustedes?

—Él es nuestro amigo y nos invitó a trabajar en Nambija. Lo hemos estado buscando toda la mañana pero nadie sabe dónde está. Yo me llamo José y él es Ignacio —le dije.

—Antonio es de nuestro pueblo y siempre jugábamos futbol cuando éramos niños —dijo Ignacio—. ¿Lo conoce?

La mujer nos sonrió.

—Sí, lo conozco. Él es mi esposo.

---

me suena sounds familiar (to me)

Capítulo diez:
A trabajar

La esposa de Antonio se llamaba Beatriz.

Ella nos llevó a su casa y nos dijo que Antonio venía a almorzar a las doce.

La casa no era una casa de verdad. Era más como una plataforma de madera con un techo y paredes de plástico. El viento movía las paredes como sábanas.

La cocina sólo era un fuego y una mesita. Beatriz cocinaba arroz con pollo para vender a los mineros y Antonio trabajaba en las minas todos los días.

Todos los días, Antonio llegaba a las doce del mediodía para comer. De repente Antonio llegó y gritó, entre alegre y sorprendido:

—¿¡Ignacio!?... ¿¡José!? ¿Qué hacen por aquí?

—¡Te estábamos buscando! **¡Tú me debes dinero!** —le respondió Ignacio riéndose amigablemente—. No, pero en serio, ¡estamos aquí para trabajar en las minas contigo!

Yo dije:

—Es verdad. Una compañía extranjera llamada Frutas Unidas nos robó nuestros terrenos con ayuda del gobierno.

—Y además nos querían **meter presos** por tratar de

¡Tú me debes dinero! You owe me money!

meter presos put in jail

46

resistirnos. No había otra cosa que pudiéramos hacer sino escapar —dijo Ignacio.

—¡Ayayay! Parece que las compañías siempre están tratando de tomar lo nuestro. ¡Qué terrible! Pero bueno, para eso estamos los amigos… ¿Cómo fue el viaje? No fue fácil, ¿verdad? —respondió Antonio.

—Un hombre nos dejó en una playa del río y nos robó todo. Nos habríamos muerto si no fuera por los shuar —le dije.

—¡¿Los shuar!? ¿Los ayudaron? ¿No se les comieron? ¡Ja ja ja! —dijo graciosamente.

—Pues, los shuar no son salvajes. Esa es **la fama que les han dado**. Ellos nos ayudaron mucho y les debemos nuestras vidas —le dije seriamente.

—¡Tranquilo! Yo no soy racista. Es un chiste. Aquí en Nambija hay algunos shuar trabajando. Ellos son buena gente —dijo Antonio.

Ignacio dijo:

—¿Cómo es el trabajo en las minas? ¿Es fácil encontrar oro?

Con esta pregunta la cara de Antonio se puso muy seria y nos dijo:

—Mira, trabajar en las minas no es nada fácil. Es muy peligroso, los túneles no son muy estables y a veces caen rocas encima de los mineros. Además, aunque la mayoría de las personas aquí son respetuosas y honestas, hay **uno que otro criminal**.

Hay que tener cuidado cuando sales con tu oro y es-

---

la fama que les han dado the reputation they have (been given)

uno que otro criminal a few, one or two criminals

pecialmente después de venderlo. Aquí no hay policía. No hay bancos. Te pueden robar.

—Y **¿qué tal te ha ido a ti?** ¿Sientes que tu esfuerzo vale la pena? —le dije pensando en el dinero que necesitaba para poder casarme con Emilia.

—Sí y no. Nambija no es tan rentable como pensaba. A veces paga bien y a veces no paga nada, depende del túnel. Pero, el problema es que aquí todo es caro. Sólo hay dos tiendas y cobran mucho por sus productos.

Nambija es el último rincón del mundo. Transportar cualquier cosa hasta aquí es muy costoso. Parece que el dinero **se va tan pronto como llega**. Es duro.

—¡Qué cosas! —le dije—. Me imaginaba que no todo iba a ser color de rosas en Nambija.

—¡No importa! —dijo Ignacio con una sonrisa grande—. Estamos aquí sin nada que perder. Vamos a encontrar mucho oro. ¡Yo tengo mucha suerte!

—¡Sí! —le respondió Antonio—. ¡Es verdad! Con ustedes dos aquí vamos a encontrar más oro que nunca.

Levantamos tres vasos de plástico llenos de agua y brindamos:

—¡Salud!

Al siguiente día, empezamos a trabajar. Nos levantamos a las cuatro de la mañana y caminamos hacia el pozo, *el pozo de los brujos*. Llevamos linternas, picos, palas, martillos y unas bolsas grandes. Antonio tenía un

---

¿qué tal te ha ido a ti? how has it gone for you?
se va tan pronto como llega it goes out as soon as it comes in

el pozo de los brujos the mine shaft of the witches

casco pero Ignacio y yo no.

El sendero estaba lleno de personas entrando y saliendo del pozo. Los que entraban al pozo tenían bolsas sin mineral y los que salían tenían bolsas llenas de mineral. Trabajaban como hormigas en una colonia, entrando y saliendo todo el día.

Cuando llegamos a la mina, Antonio nos dijo en un tono serio:

—Vamos a rezar. Siempre rezamos antes de entrar a la mina, para que la Virgen María nos proteja.

Todos bajamos las cabezas y rezamos a la Virgen María. Le pedimos protección y yo le pedí volver a ver a Emilia otra vez. Después de la oración, entramos a la mina.

La entrada de la mina era más o menos grande y el túnel tenía mucha agua en el suelo. La luz de la entrada desaparecía poco a poco.

Después de cincuenta metros todo se puso muy oscuro y no se podía ver mucho. Tenía miedo. Mi corazón palpitaba.

Las linternas casi no alumbraban y me sentía solo aunque había gente trabajando por todas partes. Cada paso era difícil. Seguimos caminando. El sendero se hacía muy estrecho en algunas partes y más ancho en otras. También, había túneles a los lados del sendero principal. Seguimos caminando, bajando hacia la mina principal.

De repente, el estrecho túnel se convirtió en una caverna grande y ruidosa. Había gente por todas partes trabajando en la oscuridad. Sólo tenían linternas o velas para iluminar. Oíamos el tinc tinc tinc de los picos, palas y martillos. Oíamos las voces de hombres y mujeres, niños y viejos. Una mujer gritaba:

—¡Pollo! ¡Lleve el sabroso pollo!

Ella vendía pollo a los mineros. Fue una cosa extraña. Me parecía una pesadilla, una escena del infierno.

Caminamos a una parte de la caverna donde no había nadie. Antonio se sentó al lado de la caverna y empezó a picar. Nos dijo:

—Miren, hay que picar el cuarzo. Aquí pueden ver un depósito pequeño.

—Pero, ¿dónde está el oro? —le pregunté. Antonio se rió.

—El oro no se ve. El oro es muy chiquitito. Hay que sacar el mineral y después procesarlo para sacar el oro.

—Yo pensaba que había oro en el suelo —dijo Ignacio.

—Antes había más oro, pero ahora no hay tanto —le respondió.

Todos empezamos a picar y picar la roca. Era un trabajo muy lento y difícil.

Pusimos las rocas que picamos en las bolsas.

Poco a poco, y después de horas y horas, las bolsas estaban llenas. Las bolsas pesaban ciento veinte libras cada una.

Con sudor hasta en mis ojos, dolor en todo mi cuerpo y totalmente agotado le dije a Antonio:

—¿Y ahora qué? ¿Hay un carrito? ¿Cómo sacamos las bolsas?

Antonio me miró, sonrió irónicamente y me dijo:

—Con las manos.

Capítulo once:
El molino

Después del primer día en las minas me sentí fatal. Me dolía todo el cuerpo y tenía tos porque el aire en la mina no era limpio. El aire estaba lleno de polvo.

Con las bolsas de rocas en los hombros, caminamos lentamente a la casita de Antonio y Beatriz. Me dormí rápido y profundamente.

Al día siguiente fuimos al molino de un amigo de Antonio. El molino era el lugar donde sacábamos el oro chiquitito del mineral. El dueño del molino nos dijo:

—Hola, bienvenidos a mi molino.

Él era un hombre flaco y llevaba una camiseta vieja y sucia.

—Gracias —le dijo Antonio.

Estamos aquí para procesar estas tres bolsas de mineral. ¿Tiene usted tiempo hoy para ayudarnos?

—Claro que sí.

El dueño del molino nos dirigió hacia una máquina grande. Me parecía que la máquina antes era un carro que se había convertido en molino. Tenía un motor Nissan que estaba conectado a un tanque, anaranjado e inmenso, que daba vueltas.

Tuvimos que poner todo el mineral en el tanque y molerlo hasta que se vio simplemente agua y lodo. Ignacio, Antonio y yo levantamos las bolsas pesadas y echamos todo el mineral dentro del tanque.

Luego, Antonio sacó una botella pequeña de su bolsillo. La botella era muy peculiar. Tenía un líquido color plata adentro. La botella era muy pequeña pero pesaba mucho.

Le pregunté:

—¿Qué es esto? Me parece muy extraño.

Él respondió:

—Esto es mercurio. Hay que poner mercurio con el mineral porque el mercurio se pega al oro. Sin mercurio, no podríamos separar el oro chiquitito del mineral. Es un proceso usado desde los tiempos precolombinos.

Luego, Antonio midió el mercurio en su mano antes de ponerlo en el tanque. **Me quedé pasmado**. Le susurré a Ignacio:

—¡¿Viste que Antonio puso el mercurio en su mano?!

Él respondió sorprendido:

—Sí, lo vi. Es muy malo para la salud. ¡Qué terrible!

Le pregunté a Antonio:

—¿Por qué mediste el mercurio en tu mano? Es malo para la salud, ¿verdad?

—Pues, sí, pero soy un minero. Yo arriesgo la vida todos los días. Un poco de mercurio no es nada —me respondió sin preocupación.

Pensé: <¡Qué terrible!>.

No dije nada.

Después de poner el

---

me quedé pasmado
I was shocked

mercurio dentro del tanque, tuvimos que moler todo otra vez.

Después de una hora más, abrimos el tanque y echamos toda la mezcla en un recipiente grande. El recipiente era una piscina de plástico para niños.

La mezcla de mineral, agua y mercurio tenía un color gris. Miré la mezcla y pensé: <¿Dónde está el oro?>. Todavía no se veía ningún oro. Estaba preocupado y le susurré a Ignacio:

—¿Dónde está el oro? Hicimos tanto trabajo y no aparece ningún oro.

Ignacio respondió susurrando:

—Es verdad. No veo nada de oro. Parece agua sucia.

Antonio notó nuestra preocupación y nos dijo:

—No se preocupen. El oro está allí. Sólo hay dos cosas más que tenemos que hacer.

Entonces, Antonio botó toda el agua al suelo menos un poco. Sólo quedó la mezcla del mercurio y mineral. Antonio insistió en que el oro estaba adentro. Echó la mezcla en la tela de una camisa vieja. Dio vueltas a la tela para que el mercurio se cayera de la tela.

Se quedó con dos bolas grises que se suponía que eran de mercurio y oro. Todavía no se veía el oro. Había una cosa más que hacer. Antonio tomó las bolas grises y las quemó con un soplete. Tenía que evaporar el mercurio.

Le dije:

—¿No es peligroso respirar los vapores del mercurio?

Antonio respondió:

—Sí, al rato de quemar el oro, hay que taparse la boca y la nariz con la mano. Así no respiras los vapores del mercurio.

Yo pensé que taparse la boca y la nariz con la mano no era suficiente para protegerse de los vapores, pero no dije nada. Antonio no iba a cambiar ahora.

Fascinado, yo miraba el fuego. Pensé en todo el trabajo que habíamos hecho. Picando y picando en la oscuridad, llevando las bolsas grandes de mineral por los túneles.

Pensé en el riesgo que corrimos día tras día en la mina. Pensé en Emilia, mi amor, y me pregunté si ella me esperaba. Pensé en todo el dinero que necesitaba para poder casarme con ella.

Miré las dos bolas grises quemándose en el fuego del soplete. No me pareció mucho oro.

Antonio se tapaba la boca y la nariz con la mano.

Los vapores invisibles del mercurio se levantaban al aire.

Poco a poco, el color gris desaparecía, y sólo quedaban dos bolas de oro pequeñas.

El oro no era como lo imaginaba. No era una barra grande y brillante como las de las películas. No era como los tesoros de los piratas. No era brillante como los collares de los raperos norteamericanos. Sólo eran dos bolas porosas.

Cuando el mercurio se evaporó, dejó espacios en las bolas como esponjas.

Ignacio dijo:

—¿Es todo? ¿Hicimos tanto trabajo y sólo salen dos bolas pequeñas que no parecen oro?

Antonio respondió:

—Así es, compañero. Pero estas dos bolas de oro valen quinientos mil sucres. Cuando las vendamos, tendremos dinero suficiente para la comida de tres semanas y poco más para ropa, herramientas y una pequeña fiesta.

Me sentí decepcionado. Pensaba que habríamos ganado más dinero después de tanto trabajo. Pensé que yo iba a ahorrar mucho dinero para Emilia.

La realidad de la situación me golpeó como una roca en la cabeza. Necesitaríamos un milagro para encontrar oro suficiente para casarme con Emilia.

Capítulo doce:
Doble o nada

Después de vender el oro, fuimos a la cancha de EcuaVolley y jugamos un par de horas. En Nambija, no había suficiente espacio para una cancha de fútbol. Entonces todos los mineros atléticos jugaban EcuaVolley cuando tenían tiempo y energía.

Nos divertimos mucho y jugamos bien. Antonio brincaba mucho y podía pegar muy duro. Ignacio y yo somos rápidos así que pudimos llegar a todos los balones.

Los partidos fueron muy emocionantes. Después de una buena jugada siempre **festejábamos chocando nuestras manos y nos felicitábamos**.

festejábamos chocando nuestras manos y nos felicitábamos we celebrated giving high fives and congratulating each other

La esposa de Antonio, Beatriz, miraba los partidos y gritaba su apoyo para nuestro equipo.

Después de ganar un par de partidos fácilmente, otro equipo llegó a la cancha. Eran tres hombres muy fuertes y altos. Llevaban camisetas rojas con las palabras "LOS TIGRES VOLADORES". Eran los campeones de Nambija. Cuando ellos jugaban, siempre ganaban.

Ellos llegaron a la cancha con una actitud arrogante.

Uno de ellos nos dijo:

—Queremos jugar, pero nosotros sólo jugamos por dinero. Ustedes piensan que son buenos pero aún no han jugado contra nosotros, niños. ¡Somos los mejores de Nambija! Quinientos mil sucres dicen que los vamos a aplastar.

Al escuchar la basura que estaban hablando, nosotros nos enojamos mucho y nos hirvió la sangre.

Ignacio dijo:

—¡Nadie puede hablarnos así! Tenemos que ganarles.

Yo respondí:

—Yo sé. Ellos son muy arrogantes pero quinientos mil sucres es todo lo que ganamos en la mina. Si perdemos el juego, vamos a perder todo.

Antonio dijo:

—Es verdad, pero si ganamos, ¡vamos a tener doble!

Yo no sabía qué hacer. Quería el dinero pero los Tigres Voladores se veían muy fuertes. De repente uno de ellos nos gritó:

—¡Es obvio que ustedes tienen miedo! Mi abuela juega mejor EcuaVolley que ustedes.

Ignacio respondió enojado:

—¡Tu madre!

Los tres hombres se nos acercaron y el que había hablado de su abuela gritó:

—¿¡Estás hablando de mi madre!?

—¡Está bien, aceptamos el reto! —dije yo—. ¡Y vamos a ver quién aplasta a quién!

Antonio tiró nuestros quinientos mil sucres en el suelo y ellos tiraron sus quinientos mil sucres también.

Todas las personas que estaban mirando empezaron a gritar con emoción. Había mucha conmoción y energía. Todos estaban animados y nosotros estábamos listos.

Teníamos que ganar dos de tres juegos para ganar el dinero. Bebimos un poco de agua y empezamos el juego.

Desde el principio del juego, todo era muy intenso.

Ellos eran fuertes y parecían tigres voladores de verdad. Brincaban alto y pegaban duro.

Era muy difícil ganar puntos. Además, estábamos muy cansados.

Ellos no estaban cansados porque fue su primer partido del día.

Ellos iban ganando 13-5 y nosotros no ganamos ni un punto más. Perdimos el primer juego. Teníamos que ganar el segundo y el tercero para ganar el dinero. Después del primer juego, el hombre más fuerte gritó:

—¡¿Eso es todo lo que tienen?! Parecen un trio de ciegos. ¡Ja ja ja!

Ignacio le gritó:

—¡Cállate! Todavía hay dos juegos. Descansamos por cinco minutos antes de empezar el segundo juego. La esposa de Antonio nos dio un poco de comida y agua fría. Ella nos dijo:

—¡Vamos, muchachos! Antonio, tienes que pegar más fuerte. Ignacio, tienes que defender la red. José, tienes que despertarte. ¡Pareces dormido! ¡¿Quieres casarte con Emilia o no?!

Volvimos a la cancha y empezamos el segundo juego. Empezamos fuertemente. Antonio le pegó al balón tan fuerte que uno de ellos, al tratar de contener la pelota, se cayó debido a la fuerza que llevaba. Antonio le dijo:

—¿Qué pasó? ¿Necesitas tu osito?

Ignacio y yo chocamos nuestras manos.

Luego Ignacio defendió muy bien la red. Íbamos ganando 10-6. Sólo necesitábamos cinco puntos más.

Después de unos puntos más, Antonio tuvo la oportunidad de ganar el juego con un servicio. Antonio brincó y le pegó al balón con toda su fuerza. Ellos no lo pudieron tocar. ¡Ganamos el segundo juego! Sólo nos quedaba uno más para ganar el dinero.

Estábamos muy emocionados por el tercer juego. Nos quitamos las camisas porque teníamos mucho calor.

El otro equipo se veía un poco preocupado y nosotros teníamos mucha emoción. Sin embargo, habíamos jugado por más de una hora y estábamos cansadísimos. La esposa de Antonio nos dijo:

—Muchachos, sólo tienen un juego más. Juntos pueden ganar. ¡Sí se puede!

Muchas personas habían escuchado del juego y parecía que todo Nambija estaba allí mirando. Las personas gritaban por nosotros porque los Tigres Voladores tenían una reputación de ser muy arrogantes. A nosotros nos llamaban el Equipo Dorado. Todos gritaban:

—¡DO-RA-DOS! ¡DO-RA-DOS! ¡DO-RA-DOS!

Teníamos mucha confianza. El juego empezó y los Tigres Voladores iban ganando 5-4. El hombre alto le pegó al balón muy fuerte y me pegó a la cara. El público gritó:

—¡¡¡OOOOOOhhhh!!!

El hombre me dijo:

—¿Necesitas un pañuelo? ¿Vas a llorar? ¡Ja ja ja!

Me dolió la nariz. Yo estaba muy enojado. Antonio le pegó a la pelota muy fuerte de nuevo y logró un punto más para nosotros. Íbamos ganando 7-6. El público aplaudió. Luego, hice dos servicios muy buenos. Íbamos ganando 12-8. El público se volvió loco. Sólo nos quedaban tres puntos para ganar el partido y el dinero.

Yo corrí por un balón cerca de la red y brinqué tan alto como pude, pero el hombre alto de los Tigres Voladores **interpuso su pie debajo de la red y me hizo tropezar**. Me caí muy duro al suelo y me golpeé la cabeza. El público silvó enojado y gritó:

—¡Puerco! ¡Juego sucio!

El hombre alto me miró y sonrió sarcásticamente. Me dijo:

—¿Cómo estás, niño? ¿Te duele la cabeza? La enfermera tiene aspirina.

Ignacio corrió hacia el otro jugador y le gritó:

—¡Juega limpio, cobarde!

Antonio llegó y empujó a Ignacio hacia atrás. Le dijo:

—¡Usa tu furia para el juego! Ya casi ganamos.

Luego los dos me miraron. Ignacio me dijo:

—¿Estás bien? ¿Sabes tu nombre? ¿Qué día es? ¿Cuántos dedos tengo arriba?

**interpuso su pie debajo de la red
y me hizo tropezar** he stuck his
foot under the net and tripped me

Yo respondí:

—Sí, sí, estoy bien.

Era mentira. Yo no estaba bien, estaba desorientado y veía estrellas. Sin embargo, tenía que terminar el juego. Sólo necesitábamos tres puntos más. Beatriz me dio un poco de agua. Oí al público. Todos gritaron:

—¡DO-RA-DOS! ¡DO-RA-DOS! ¡DO-RA-DOS!

Me levanté lentamente y todos se volvieron locos.

—¡Bien, José! ¡Muy bien hecho! ¡Dale, dale!

Ignacio empezó con un servicio en la red; 12-9. Los Tigres siguieron con dos puntos rápidos; 12-11.

Yo no podía hacer mucho. Una bola vino a mí y yo le pegué muy mal; 12-12. Antonio defendió la red; 13-12.

El hombre alto respondió pegándole al balón muy fuerte; 13-13. Luego, yo hice un servicio malo en la red. Los Tigres estaban ganando 14-13. Un punto más y ellos ganarían todo nuestro dinero. **Hicimos una pausa.** Hablamos con Beatriz. Me dio un poco de agua y me dijo:

—José, tengo algo para ti. Quería esperar el momento perfecto para dártelo. Yo soy amiga de Emilia y yo tengo una foto de ella de cuando estábamos en el mercado. Mira.

Ella me dio una foto vieja de Emilia en el mercado. Era la primera vez que veía la cara de Emilia desde que salimos del pueblo. Mi corazón palpitó muy fuerte y de

---

hicimos una pausa we called time out

repente sentí mucha energía.

Volvimos a la cancha con una determinación fuerte. Los Tigres Voladores tenían sonrisas arrogantes y estaban hablando de lo que iban a hacer con nuestro dinero.

El hombre alto dijo:

—Un punto más y ganamos su dinero. ¡Ja ja ja!

Ignacio gritó:

—¡Cállate y haz el servicio!

Yo sólo pensaba en Emilia. **Por ella haría lo que sea**. No me iban a ganar ese dinero. Yo iba a casarme con Emilia y nadie podría impedirlo.

El hombre alto saltó e hizo un servicio muy fuerte hacia mi zona. Me tiré a la izquierda y puse una mano bajo el balón sin importarme si me golpeaba al caer. Sólo importaba ganar el dinero para casarme con Emilia.

El balón se elevó bastante bien, Ignacio lo pasó a Antonio y Antonio le pegó con mucha fuerza. ¡Punto para nosotros! ¡14-14! El público se volvió loco. ¡El siguiente punto definía todo! Fue mi turno de hacer el servicio. Estaba nervioso pero tenía confianza. Beatriz levantó la foto de Emilia y la miré antes de hacer el servicio.

Susurré:

—Esto es para ti, mi amor.

Respiré profundamente y le pegué al balón con toda mi fuerza. El balón pasó por la red con mucha velocidad

---

por ella haría lo que sea for her I
would do whatever it took

64

y el hombre alto apenas lo tocó con su mano. ¡El balón salió de la cancha y nosotros ganamos! Todos se volvieron locos gritando:

—¡DO-RA-DOS! ¡DO-RA-DOS! ¡DO-RA-DOS!

El hombre alto se sentó en el suelo con la cabeza en sus manos. Todos nos felicitaron. ¡Fue un momento increíble! ¡Habíamos ganado todo el dinero!

Yo agarré la foto de Emilia y la besé como si fuera ella misma.

Capítulo trece:
Vida o muerte

Después del juego estábamos muy emocionados y nos sentimos invencibles. Estábamos muy felices y pensábamos que íbamos a encontrar mucho oro al día siguiente en la mina. Teníamos buena suerte.

Nos levantamos a las cinco de la mañana y entramos a la mina con una actitud positiva. Caminamos rápido por los túneles oscuros.

Olimos el polvo y escuchamos el ruido de cientos de personas picando con pico y pala. Poco a poco la realidad de la situación volvió. Estábamos en la mina, el pozo de los brujos. Nuestro buen humor se convirtió en una precaución tensa.

De repente vimos a dos niños caminando solos en el túnel. Uno de los niños llevaba una camiseta azul de los 101 Dálmatas. Se veía muy joven. Ignacio le dijo:

—Hola, muchacho. ¿Cuántos años tienes?

El niño respondió:

—Yo tengo siete años.

El otro niño tenía pelo negro largo. Interrumpió y dijo:

—No, no. Él tiene seis y yo ocho.

Los dos niños se fueron corriendo. Era muy triste ver a los niños en las minas. Ellos no tenían oportunidad de jugar al sol ni de ir a la escuela. ¡Qué ironía! Ellos tenían que arriesgar la vida para trabajar y sobrevivir.

Seguimos caminando en silencio hasta llegar a un túnel pequeño al lado del pozo principal. Era como un laberinto en la oscuridad. Entramos al túnel más pequeño y caminamos quinientos metros más, bajando y bajando muy lejos del pozo principal. No vimos a ninguna otra persona.

Finalmente llegamos a la parte donde queríamos trabajar. El túnel abrió un espacio grande y vacío. Era un pozo viejo donde no quedaba mucho oro. Sólo quedaban los estribos para sostener el techo de la inmensa caverna.

Sabíamos que lo que íbamos a hacer era muy peligroso. Sin embargo, cerca de los estribos había más oro. Queríamos ganar más dinero. Los estribos eran muy altos y uno tenía una plataforma vieja a su lado.

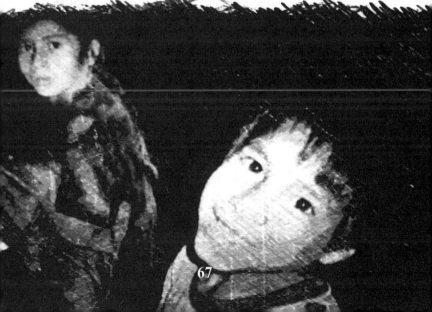

67

Al otro lado del estribo había una caverna inmensa, de más de cien metros de profundidad. Subimos a la plataforma con todas nuestras herramientas. La plataforma era más o menos inestable y peligrosa.

Empezamos a picar.

Antonio dijo:

—El mineral es bueno aquí. Yo sé que va a pagar bien. Hay mucho oro aquí.

Ignacio respondió:

—Es verdad. Pero hay que trabajar con mucho cuidado.

Yo dije:

—Esta plataforma es muy inestable y el estribo está sosteniendo el techo. Si quitamos demasiada roca del estribo, el techo puede caer.

—No hay problema —Antonio respondió—. Pienso que este estribo está muy fuerte todavía. Podemos seguir picando. Nada va a pasar.

Seguimos trabajando en silencio por media hora.

De repente oímos una explosión fuerte. ¡BUUUUUUM! El sonido vino de muy lejos. Era normal de vez en cuando escuchar el sonido de la dinamita. Algunos mineros usaban dinamita para sus trabajos.

Dejamos de trabajar un momento. No respiramos... sólo esperamos.

Seguimos picando. Un minuto más tarde oímos, ¡BUUUUUUUM! Otra dinamita. Esta explosión pareció más cerca.

Le dije a Antonio:

—¿Qué pasa? ¿Por qué la dinamita está tan cerca?

Antonio respondió un poco preocupado:

—No sé. Los mineros están trabajando. Eso es lo que hacen.

Seguimos picando. De repente, oímos una explosión tan fuerte que toda la mina y la plataforma se movieron. ¡BUUUUUUUM!

Esta vez, las piedras empezaron a caer encima de nosotros. Nos cubrimos la cabeza con las manos. Pareció una lluvia de piedras. El aire se llenó de polvo. No pudimos hacer nada.

Sólo escuchamos el sonido de rocas y piedras cayendo como lluvia: la lluvia de la muerte. La plataforma era muy alta y no pudimos bajarnos rápidamente. Sólo pudimos rezar para que la Virgen nos protegiera.

De repente, una roca muy grande cayó encima de Antonio. Lo golpeó en la cabeza. Se cayó de la plataforma y **fue a parar casi cien metros abajo**.

Después de cinco minutos más de conmoción y terror, la lluvia de piedras paró. Ignacio y yo estábamos cubiertos de piedras y polvo. Nos miramos con una mezcla de tristeza, terror y alivio.

Nos dimos cuenta de que Antonio no estaba. Gritamos:

—¡Antonio! ¡¿Estás vivo?! ¡Antonio! ¡¿Cómo estás?!

No escuchamos nada. Sólo un silencio…un silencio fatal.

---

fue a parar casi cien metros abajo he landed almost a hundred meters below

Capítulo catorce:
Zaruma

Buscamos a Antonio todo el día. Sacamos su cadáver a las seis de la tarde. Su cadáver estaba totalmente destrozado.

Regresamos a casa de Beatriz. Ella estaba desolada al oír de la muerte de su esposo. Ella lloró descontroladamente y no sabía qué hacer.

El entierro fue al día siguiente. Beatriz estaba muy callada y pensativa. Parecía más tranquila.

Hicimos una colecta entre todos los mineros de Nambija. Cuando un minero muere, todos sufren. Le dimos setecientos mil sucres a Beatriz. Ella tomó el dinero y se fue a vivir con su madre en Cuenca.

Después de la muerte de Antonio, yo pensé mucho en mi propia vida. Pensé en Emilia y cómo iba a ganar suficiente dinero para casarme con ella. No sabía cómo iba a ganar el dinero pero sabía algo. Sabía que no quería seguir trabajando en Nambija. Era demasiado peligroso y triste. Le dije a Ignacio que quería salir. Él respondió:

—¿Adónde quieres ir?

—Quiero ir a Zaruma. Es otro pueblo minero en las montañas. Dicen que un minero puede trabajar allí y no

hicimos una colecta we took up a
collection

es tan peligroso como Nambija. Dicen que es un pueblo bonito y que se puede tener una familia allí —le respondí.

—Pues, me parece buena idea. Vamos —respondió Ignacio.

Al siguiente día, vendimos nuestro equipo de minería, visitamos el cementerio de Antonio y salimos. Caminamos sobre la montaña. Tomamos un sendero que nos dejó en el camino hacia Zaruma.

Una vez allí, buscamos a alguien que nos llevara a Zaruma. Un camión paró. Subimos a la parte de atrás del camión y recorrimos caminos estrechos y llenos de curvas. Vimos un océano de montañas. Parecía que las montañas no conducían a ningún pueblo.

Después de muchas horas en el camión, llegamos a la cima de una montaña. Al otro lado de la montaña vimos un pueblo en medio de la nada. Era muy extraño. Era como una isla dentro de un mar de montañas. Era Zaruma.

Zaruma era un pueblo muy viejo. Tenía una iglesia y muchos edificios blancos. Habían sacado el oro de

Zaruma desde los tiempos precolombinos hasta el presente. Yo pensé que a Emilia le gustaría este pueblo.

Sonreí. Miré a Ignacio y le dije:

—Creo que hemos encontrado un buen lugar para empezar de nuevo.

*****

Entramos a Zaruma durante los festivales de la Virgen del Carmen. Vimos un desfile con muchas cosas típicas de Zaruma. Había un grupo de niños vestidos como mineros.

Había otro grupo de niños vestidos como indígenas precolombinos con platos de oro. También, cada barrio tenía una "reina del barrio" que saludaba al público. Las reinas eran muy bonitas e Ignacio dijo:

—¡Ya sé que me gusta Zaruma! ¡Ja ja ja!

Yo respondí:

—Sí, es verdad que las reinas son bonitas. Pero no se comparan con mi Emilia. Ella es más bonita que todas.

—**Tú estás demasiado enamorado**. ¡Je je! —respondió Ignacio.

Después del desfile fuimos a las peleas de gallos. Había un sitio de gallos donde había muchas peleas. A Ignacio le gustaban mucho las peleas pero a mí no me gustaban. Me parecían muy crueles. A los gallos les ponían talones grandes para que pudieran pelear hasta la muerte.

---

tú estás demasiado enamorado
you are too in love

72

Muchos hombres apostaban y gritaban mucho por su gallo.

Vimos una pelea en la cual un gallo rojo estaba peleando contra un gallo blanco.

Ignacio apostó veinte mil sucres al gallo rojo. Gritaba como loco porque pareció que su gallo iba a perder.

—¡Vamos, vamos! —le gritó. De repente el gallo rojo se levantó y le dio un **espuelazo fatal** al gallo blanco. El gallo blanco se cayó y no se movió. El gallo rojo ganó. Ignacio gritó felizmente y recibió su dinero.

Por la noche, fuimos a la plaza principal. Allí vimos unos fuegos artificiales. Me pareció muy loco y divertido.

---

espuelazo fatal a fatal spiking

Un grupo dio una presentación de fuegos artificiales en medio del público. ¡No había ninguna precaución de seguridad para el público! Encendieron muchos fuegos artificiales y los niños corrieron y jugaron debajo de las chispas.

También lanzaron cohetes al aire. Sonaron como disparos de rifles. Un cohete funcionó mal y cayó cerca de un grupo de personas y explotó. Todos estaban bien y se rieron.

Ignacio vio a una de las "reinas del barrio" y le dijo:

—¿Cómo te llamas, mi reina?

Ella sonrió y respondió:

—Me llamo Andrea. ¿Y tú?

—Yo me llamo Ignacio y quiero ser tu rey. ¿Quieres una Coca-Cola?

Ignacio y ella caminaron al puesto de comida que estaba cerca. Pensé que Ignacio era muy valiente por hablar con una chica tan bonita. Sonreí.

Aquella noche nos divertimos mucho pero mi corazón me dolió un poco. Yo pensé en Antonio y Beatriz. También quería estar con Emilia.

El desfile y las fiestas nos dieron la impresión de que Zaruma era un pueblo alegre y próspero.

Sin embargo, había otro lado del pueblo. En las afueras del pueblo había otro mundo. Un mundo mucho más difícil y peligroso: el mundo del minero artesanal.

Alquilamos una casa pequeña y de allí empezamos nuestro trabajo. Ya había muchos mineros en Zaruma. Entonces nosotros teníamos que caminar mucho para llegar a una parte donde pudiéramos trabajar.

Por la mañana, las nubes estaban más bajas que el sendero. Parecía un océano blanco y silencioso.

Empezamos por construir un pequeño altar a la Virgen María. Ella nos protegería en momentos peligrosos.

Después, empezamos a picar y picar al lado de la montaña. El túnel no fue fácil de hacer y tuvimos que usar dinamita para explotar las piedras más grandes.

Zaruma era diferente a Nambija. Era más tranquilo. Ignacio y yo trabajábamos solos. Todos los días eran iguales. Nos levantábamos a las cinco de la mañana. Caminábamos a nuestro túnel. Rezábamos a la Virgen y entrábamos a trabajar.

Después de un mes tuvimos veinte metros de túnel. Sacamos el mineral en pequeños carritos de madera. El túnel era muy estrecho y no había aire fresco.

Teníamos que gatear para trabajar y nos sentíamos muy encerrados.

Después de dos meses sólo habíamos encontrado suficiente oro para sobrevivir. El mineral de Nambija era más rentable. Todavía no habíamos encontrado una buena veta. Buscamos y buscamos pero no encontramos una.

Ignacio salía con Andrea cada fin de semana. Se hicieron novios. **Yo sentía sana envidia** porque quería estar con Emilia. Ni siquiera podía comunicarme con ella. Pensaba en ella todos los días. Cada día cuando rezábamos a la Virgen por la protección, yo también hacía una pequeña oración para ella.

---

yo sentía sana envidia I envied (him) in a kindly way

Capítulo quince:
"No hay mal que por bien no venga"

Empezó como un día normal. Caminamos a nuestro túnel. Las nubes parecían un océano. Encendimos nuestras lámparas de carburo debajo de un árbol grande. Entramos al túnel después de rezar a la Virgen. Caminamos hasta no poder más.

De allí, gateamos hasta el final del túnel. Llegamos al final del túnel y empezamos a picar y picar.

Le dije a Ignacio:

—Me parece que hay una buena veta aquí. Creo que hoy vamos a encontrar mucho oro.

Él respondió:

—¡Ojalá! Necesitamos un poco de suerte. Tenemos mucho tiempo sin encontrar nada.

—Sí, es verdad. Ojalá que esta veta pague bien.

Picamos y picamos. Llenamos un saco con mineral. Ignacio estaba llevando el saco hacia la salida de la mina. Yo me quedé picando.

De repente, sentí un temblor. El túnel tembló y tembló. La tierra empezó a caer y caer.

Le grité a Ignacio:

—¡Sal! ¡Hay un temblor! ¡El túnel se está cayendo!

Mi lámpara de carburo se cayó y se apagó. Todo estaba oscuro.

—¡No te voy a dejar! ¡Voy por ti! —gritó Ignacio.

Esa fue la última cosa que escuché antes de que la tierra se cayera y llenara el túnel pequeño. Yo estaba atrapado…solo. No podía moverme.

Después de unos segundos, grité:

—¡Estoy vivo!... ¿Y tú?... ¡No puedo moverme! **¡Estoy enterrado hasta el pecho!**

Nadie me respondió.

¡Estoy enterrado hasta el pecho!
I'm buried up to my chest!

Pensé que en cualquier momento el túnel entero podría colapsar. No podía respirar muy bien. El aire estaba lleno de polvo. Estaba en una oscuridad total. Mi lámpara de carburo estaba enterrada.

¿Qué pasó con Ignacio? ¿Estaba vivo? ¿Estaba atrapado también? ¿Podría salvarme? Yo no respiraba bien. ¡El aire estaba acabándose!

Pensé en Emilia. ¿Iba a verla otra vez? ¿Fue esto el final? Me sentía mareado. Poco a poco **iba perdiendo el conocimiento**.

Cerré mis ojos, imaginé la cara de Emilia, puse mi cabeza en la tierra y…me quedé inconsciente.

*****

—José…¿estás despierto?

—¿Qué? ¿Eres tú, Ignacio?

—¡Sí, soy yo, Ignacio!

—¿Dónde estamos? ¿Qué pasó?

—Estamos en la clínica de Zaruma. Después del temblor tú estuviste atrapado en la mina por diez horas.

Pensamos que habías muerto.

—¡Me duele la cabeza! Tengo sed.

—Sí, estás muy deshidratado. **Te han puesto un suero**. No te muevas. El suero te ayudará. Estás seguro ahora.

---

iba perdiendo el conocimiento
I was losing consciousness

te han puesto un suero they have given you an IV

¿Pero, sabes qué? ¡No hay mal que por bien no venga!

—¿De qué estás hablando? Me siento horrible y casi morí. Además nuestro túnel es un desastre. ¡Perdimos todo!

—¡Escúchame José! Nada se perdió, por el contrario. Cuando te estaba rescatando miré algo brillante en el espacio de donde la tierra se había caído. ¡Era oro! ¡Mucho oro! Ahora tenemos suficiente dinero para traer a Emilia a Zaruma.

—¿¡Qué!? ¿En serio? ¿Encontramos oro? ¿Puedo casarme con Emilia?

Yo estaba sumamente feliz. Traté de agarrar a Ignacio para abrazarlo pero me dolía el brazo.

—¡Gracias, Ignacio! ¡Gracias por salvarme! ¡Gracias por todo!

Yo estaba más feliz que nunca.

Dos meses después, Emilia llegó a Zaruma. Nos casamos en la iglesia. Ignacio fue el padrino y Beatriz llegó de Cuenca para ser la dama del honor.

A ella le dimos una parte importante del dinero del gran depósito de oro que encontramos. Con el resto del dinero construimos dos pequeñas casas e instalamos un **carrito que corría sobre un riel** para sacar el mineral de la mina. También compramos diez filtros de agua para nuestros amigos shuar.

---

carrito que corría sobre un riel
cart that ran on a track

Ahora, Emilia y yo tenemos tres hijos. Nuestro primer hijo se llama Antonio (él juega muy bien al Ecua-Volley). Ignacio se casó con Andrea y sigue trabajando conmigo en las minas.

No somos ricos, pero vivimos bien. Nuestra meta principal es ganar suficiente dinero para mandar a nuestros hijos a la escuela. La educación es la mejor herencia que les podemos dar.

Ignacio y yo hemos tenido muchas aventuras en la vida, algunas buenas y algunas malas. Pero después de todo, hemos aprendido que la familia y los buenos amigos son las cosas más importantes.

Me llamo José Alberto Campos y ésta fue mi historia, la historia de un minero artesanal.

GLOSARIO

The words in the glossary are given in the same form in which they appear in the story. Unless a subject of a verb in the glossary is expressly mentioned, the subject is third-person singular. For example, *agarró* is given as only *grabbed*. In complete form this would be *she, he or it grabbed*.

The infinitive form of verbs is usually given as *to* ... For example, *trabajar* is given as *to work*. The context in which the infinitive is used affects the translation. For example, *trabajar* means *working* when it follows *después de*, which means *after* in English.

a causa de because of
a veces sometimes
abajo down
abierta open
abortar to abort
abracé I hugged
abrazar to hug
abrimos we opened
abuelos grandparents
abusaron they abused
acabándose running out
acercarse to approach
acercaron: se nos acercaron they approached us
acosté: me acosté I lay down
actitud attitude
además in addition, besides
adentro inside
admitir to admit
adónde to where
agarró grabbed
agitando shaking
agotado exhausted
agricultor farmer
agua water
ahora now

ahora mismo right now
ahorrar to save
aire air
aislado isolated
ají pepper
alcance grasp
alegre happy
algo something
algún some
alivio relief
allí there
alquilamos we rented
alta high, tall
alumbraba illuminated
amaba I loved
amigablemente friendly
amigo friend
amor love
ancho wide
ancianos elderly
angustias anxiety, distress
animados excited
ánimo enthusiasm
antes before
apenas as soon as
apertura opening

aplastar smash
apostaban they bet
apoyo support
aprendido learned (pp)
aquel that
aquella that
aquí here
arañas spiders
arbustos bushes
arena sand
arrestar to arrest
arriesgarte to risk
arrogante arrogant
arroyo stream
arroz rice
arrugué I crumpled up
artesanal small scale, done by hand
artificiales: fuegos artificiales fireworks
así like that/this
aspirina aspirin
asustada afraid, fearfully
atacaban they attacked
atentamente yours truly
atléticos athletic
atrapado trapped
aun even
aunque even though
aventuras adventures
¡ay caramba! my goodness!
¡ayayay! oh my gosh!
ayuda help
ayudarás you will help
bailar to dance
bajamos we went down
bajaron: se bajaron they got out of
bajo under
balón ball
barato cheap
basura trash
beber to drink
bebida drink
bien well

bolsas bags
bolsillo pocket
bomberos firemen
bonita pretty
bosque forest
botó dumped
brazos arms
brilla shines
brillaba shone
brincaba jumped
brindamos we had a toast
brinqué I jumped
brujos witches
busco I look for
buzón mailbox
cabaña cabin
cabo: al fin y al cabo anyway, in any event
cada each
cadaver cadaver
caer to fall;
   al caer upon falling, when I fell
café brown, coffee
caliente hot
cállate quiet down
cama bed
cambió changed
caminando walking
camino road
camión truck
camisa shirt
camitas cots
campeones champions
campesino small scale farmer
canastas baskets
cancha sports field
cansados tired
cansancio exhaustion
cantar to sing
capturaron they captured
cara face
caro expensive
cargando carrying

cariñosamente affectionately
carne meat
  carne asada grilled meat
carretera highway
carrito cart
carta letter
carteras wallets
casarme, casarnos, casarte (con) to marry
casco helmet
casi almost
castaño chestnut brown
catedral cathedral
causa: a causa de because of
caverna cavern
cayera fell
cazan they hunt
celoso jealous
cerbatanas blow guns
cerca de close to
cerdos pigs
cerré I closed
chicas girls
chispas sparks
chiquitito very small
chocando nuestras manos giving (each other) high fives
ciegos blind
cientos hundreds
cima top
cincuenta fifty
claro of course
  claro que sí of course yes
cliente customer
clima weather
cobarde coward
cobra charge
cocinas kitchens
cocos coconuts
cohetes rockets
col cabbage
colaboración cooperation
colapsar to collapse

colchón mattress
colecta collection
collares necklaces
colonia colony
comía ate
comida food
como like, as
cómoda comfortable
compañero partner
compró bought
con with
concentrados concentrated
concreto concrete
condensado condensed
confianza confidence
confiar to trust
conmigo with me
conmoción commotion
conocer to meet
conocimiento consciousness
conozco I know
construyó constructed
contaminado contaminated
contigo with you
continuamos we continued
convirtió: se convirtió became
corazón heart
correo post office
correr to run
cosa thing
  ¡qué cosas! wow!
cosechan they harvest
cosechas harvests
costa coast
costoso costly
crear to create
crecía grew
crema cream
cuadros squares, plaid
cuando when
cuánto/s how much/many
cuarenta forty
cuarzo quartz

84

cubrirá will cover
cuchillos knives
Cuenca a city in the southern Ecuadorian mountains
cuenta: me di cuenta I realized
cuero leather
cuesta costs
cuidado careful
cultivaba cultivated
cultura culture
cumplir to complete, fulfill
curvas curves
cuy guinea pig
cuya whose
dálmatas Dalmatians
dama de honor maid of honor
dar to give
debajo de underneath
deben they should
debes you owe
decepcionado disappointed
decir to say
declaro I declare
dedos fingers
defender to defend
dejar to leave
  dejar de pensar stopped thinking
dejaría would allow
dejó caer dropped (allowed to fall)
delgado slim
demandar to demand
demasiado too much
densas dense
depende depends
deportes sports
depósito deposit
derecho right
desafortunadamente unfortunately
desaparecieron they disappeared
desarrollo development
desastre disaster
descansamos we rested
descontroladamente uncontrollably

desde since
deseaba I wanted to
desesperación desperation
desesperada desperate
desfile parade
deshidratado dehydrated
desorientado disoriented
desolada devastated
despacio slowly
desparecía disappeared
despertamos: nos despertamos we woke up
después (de) after
destrozado destroyed
detrás de behind
di: me di cuenta I realized
dicho said (pp)
decidimos we decided
dieciséis sixteen
diente tooth
diez ten
dije I said
dijo said
dimos we gave
  nos dimos cuenta we realized
dinamita dynamite
dinero money
dio gave
dirigió directed
disparos shots
divertimos: nos divertimos we had fun
doble double
dólares dollars
dolía hurt
dorado golden
dormido asleep; slept (pp)
dormitorios bedrooms
doscientos two hundred
duché: me duché I showered
dueño owner
duro hard
echamos we tossed, poured

85

EcuaVolley Ecuadorian volleyball played with a higher net, soccer ball and relaxed rules on carries

ejecutar to execute

él he

ella she

emocionantes exciting

empecé I started

empezar to start

en in

enamorado in love

encendieron they lit

encerrados enclosed

encima above, on top of

encontrar to find

encuentro meeting

energía energy

enfermera nurse

enfrente de in front of

enojado angry

enormes enormous

enseguida right away

enseñado taught (pp)

enterrada buried

entonces so, then

entrada entrance

entrar to enter

entregamos we turned in

entusiasmado excitedly

envidia envy

equipo equipment, team

equivoqué: me equivoqué I was mistaken

era was, used to be

eres you are

es is

esa, ésa that

escalera stairs

escapar to escape

esclavos slaves

esforzaron they forced

esfuerzos efforts

eso that

eso: para eso estamos los amigos that's what (we) friends are for

por eso that's why

espacio space

espalda back

esperanza hope

esperar to wait

espero I hope

esponjas sponges

esposa wife

esposo husband

espuelazo spiking

está is

esta this

estaba was

estable stable

estaciones stations

estadio stadium

estarán they will be

este this

estereotipo stereotype

estilo style

estimado esteemed

estirar to stretch

estómago stomach

estrecho narrow

estrella star

estribos support columns

estuvo was

evaporar to evaporate

evaporó: se evaporó evaporated

exagerado exaggerated

exhaustos exhausted

existía existed

éxito success

explotó exploded

extranjera foreign

fábrica factory

fácilmente easily

fajas belts

fama reputation

fama que les han dado reputation they have (been given)

familiares family
fascinado fascinated
fe faith
festejábamos we celebrated
fiesta party
filtro filter
fin: al fin y al cabo anyway, in any
    event
finca farm
firmemente firmly
flaco skinny
forma form
forrada wrapped, covered
fósforos matches
fresca fresh
fría cold
frijoles beans
frutas fruits
fue was, went
    se fue went away, left
fuego fire
    fuegos artificiales fireworks
fuera de out of, beyond
fuera: si no fuera por if it were not
    for
    como si fuera as it if were
fuerza strength
fuimos we went
funcionó mal malfunctioned
furia fury
fútbol soccer
gallinas hens
gallos roosters
ganar to earn, win
gateamos we crawled
gente people
gobernador governor
golpeé I hit
gordísimos very fat
graciosamente humorously
gris gray
grito yell
gubernamental governmental

guerrero warrior
gusanos worms
gustaba: le gustaba he liked (was
    pleasing to him)
gustaría: te gustaría you would like
    (would be pleasing to you)
ha has (auxiliary)
había had (auxiliary); there was, there
    were
    había que it was necessary to
hablar to talk
habría would have (auxiliary)
hacer to make, to do
hacerme to become
hacia toward
hambre hunger
han they have (auxiliary)
has you have (auxiliary)
hasta until
hay there is, there are
    hay que one must
    hay uno que otro criminal there
    are a few criminals
    no hay mal que por bien no venga
    every cloud has a silver lining
haz do
he I have (auxiliary)
hecha de made of
hecho done, made (pp and adjective)
    está hecho it is done
    está hecho de it is made of
herencia heritage, inheritance
hermano brother
herramientas tools
hice I made, did
hicimos we made, did
historia story
hizo: se hizo he became
hojas leaves
hombros shoulders
horas hours
hormigas ants
huérfanos orphans

huevos eggs
huir to flee
humilde humble
humo smoke
humorosamente humorously
iba was going
idioma language
iglesia church
igual the same
impedir to stop
importa matters
   no importa it doesn't matter
improvisado improvised
incluimos we included
inconsciente unconscious
indígenas indigenous
infierno hell
insectos insects
insistió insisted
integrarse integrate themselves
interminables unending
interrogación interrogation
interrumpió interrupted
invencibles invincible
ir to go
iremos we will go
irónicamente ironically
irritado irritated
izquierda left
jamás never
joven young man
juega: se juega is played
juego game
jugadas plays
jugar to play
juntos together
laberinto labyrinth
lado side
  al lado de beside
lágrimas tears
lámparas de carburo carbide lamps
lancha boat
largo long

las the, them, the ones
le to him, to her, to you, him, her, you, in it, at her (the translation often depends on what is used with the verb in English)
leche milk
leí I read (past)
lejano far away
lejos far away
lentamente slowly
lento slow
levantamos: nos levantamos we got up
leyendo reading
leyó he read
libertad freedom
libras pounds
liga league
limpio clean
linda cute
linternas flashlights
líquido liquid
listo ready
llamar to call
  se llama is called
llave key, faucet
llaveros key chains
llegar to arrive
llenamos we filled
lleno full
llevar to take, carry
llorar to cry
lluvia rain
lo it, him
  lo más pronto posible as soon as possible
  lo que that which
  lo siento I'm sorry
loco crazy
lodo mud
lograron they achieved
los the, them, the ones
luchar to fight

luego then
lugar place
luna moon
luz light
madera wood
maíz corn
mala bad
mañana morning, tomorrow
mandar to send
manejamos we drove
manera way
manos hands
mantener to maintain
máquina machine
mareado dizzy
mariposas butterflies
martillo hammer
más most, more
  más allá de beyond
matar to kill
me me, to me, for me, myself (the
  translation often depends on what is
  used with the verb in English)
  me di cuenta I realized
  me quedé pasmado I was shocked
medio half
mediodía noon
mediste you measured
mejor better
  mejor dicho or rather
mente mind
mentí I lied
mentira lie
mercado market
mercurio mercury
mesa table
mesita little table
meta goal
meter to put in
  meter presos to put in jail
metros meters
mezcla mix
mi my

microscopio microscopic
midió measured
miedo fear
miel honey
mientras while
milagro miracle
mina mine
mineral ore
minero miner
mirar to look at
místico mystic
mochilas backpacks
mojados wet
moler to crush, mill
molestos annoyed
molino mill
montaña mountain
morí I died
motivos motives
motocicleta motorcycle
movía moved
muchos many
muerte death
mujer woman
murió died
muy very
nací I was born
nadie nobody
Nambija mining town in the southern
  Ecuadorian mountains
nariz nose
neblina fog
necesito I need
negar to deny
negro black
ni nor
  ni siquiera not even
ningún: no … ningún not … any
noche night
nombre name
noreste northeast
nos us, to us, each other (you and me)
  (the translation often depends on

what is used with the verb in English)
novias girlfriends
novios boyfriend and girlfriend
nubes clouds
nuestro our
  lo nuestro what's ours
nunca never
observó observed
obvio obvious
océano ocean
ocupa occupy
ofreceremos we will offer
ofreció offered
oí I heard
ojalá I hope, I wish
ojos eyes
olimos we smelled
olvidar to forget
opuestos opposites
oración prayer
órdenes orders
oscuridad darkness
oscuros dark
osito teddy bear
otra vez once again
otro other, another
pacífico peaceful
padre father
padrino (de boda) best man (at a wedding)
pagar to pay
paja straw
pala shovel
palmeras palm trees
palo stick
palpitaba beat
pañuelo handkerchief
papitas fritas potato chips
par for, in order to
paraíso paradise
parar stop
pareció seemed, looked like

paredes walls
paró stopped
partidos games
partir: a partir de as of
pasamos por we passed by
pasión passion
pasmado: me quedé pasmado I was shocked
pasó passed
patada kick
patio courtyard
paz peace
pecho chest
pedimos we asked for
pega: se pega sticks
pegar to hit
peleas fights
películas movies
peligro danger
pelo hair
pensar to think
peor worse
pequeño small
perder to lose
perdidos lost
periódico newspaper
pero but
persiguieron they pursued
pesaba weighed
pesadas heavy
pesadilla nightmare
pescando fishing
picar to chip
pico pick
pie: de pie on foot, standing, walking
piedras rocks
piel skin
piernas legs
piratas pirates
piscina pool
plata silver
plataforma platform
plátano banana

playa beach
pobre poor
poco little
podemos we can, are able to
poder to be able to
podríamos we could, would be able to
política politics
pollo chicken
polvo dust
ponía: se ponía became
por by, for, through
  por eso that's why
  por fin finally
  por lo general in general
  por lo tanto therefore
  por qué why
  por todas partes everywhere
porque because
pozo mine shaft
precaución caution
precio price
precolombinos pre-Colombian
preguntar to ask
preocupación worry
preocupada worried
preocupen: no se preocupen don't worry
preparar to prepare
preso prisoner; imprisoned, in jail
  meter preso to put in jail
prestaba: no prestaba atención I didn't pay attention
primera first
principal main
prisioneros prisoners
privacidad privacy
probable likely
procesarlo process it
profundamente deeply
prometo I promise
pronto soon
propia own
propiedad property
próspero prosperous
proteger to protect
próximo next
pueblo town
puedo I can
puerta door
pues well
puesto stall
puntos points
puse I put (past)
pusimos we put (past)
puso put (past)
  se puso became
que that, which, than
  lo que what, which, that
qué what, how
  ¡qué cosas! wow!
quedaba remained, was located
quedar to remain, stay
quedé: me quedé pasmado I was shocked
quemando burning
quiero I want
  te quiero I love you
quería wanted
quiquiriquiiií cock-a-doodle-do
quién who
quinientos five hundred
quitamos: nos quitamos we took off
quizás maybe
racista racist
raperos rappers
rápido fast
rato a bit, a while
razón: tienes razón you are right
rebelar to rebel
rechazar to reject
recibirá will recieve
recipiente container
recuerdo I remember
recuperado recuperated (pp)
recuperar to recuperate

red net
regresar to return
reímos: nos reímos we laughed
reina queen
rendirnos to give up
rentable profitable
repente: de repente suddenly
resbalé: me resbalé I slipped
rescatar to rescue
reservado reserved
respetuosas respectful
respirar to breathe
respondí I responded
resto rest
resulta que it turns out
reto challenge, bet
rey king
rezar to pray
rico rich
riel track
riéndose laughing
riesgo risk
rifles rifles
rindieron: se rindieron they gave up
río river
rió: se rió laughed
robó stole
rocas rocks
rodearon they surrounded
ruidosa noisy
sábado Saturday
sábanas sheets
sabía knew
sacó he took out
saco sack
salieron they left, came out
saltó jumped
salud health
saludaba greeted
salvajes savages
salvar to save
sana healthy
sargento sargent

se himself, herself, itself, oneself,
    themselves, yourselves
sé I know
secó dried out
sed thirst
seguir to follow, continue
segundo second
seguro safe, sure
selva jungle
semana week
sendero trail
sentamos: nos sentamos we sat down
sentía: me sentía I felt
será will be
serán they will be
sería would be
seriamente seriously
serio: en serio seriously
serpiente snake
servicio serve
setecientos seven hundred
shuar an indigenous Ecuadorian peo-
    ple and their language
si if
sí yes
siempre always
siete seven
siglos centuries
silla chair
silvestres wild
sin without
    sin embargo nevertheless, however
siquiera: ni siquiera not even
sobre envelope; about; on
sobrevivir to survive
sol sun
soldados soldiers
sólida stable
sólo only, just
solos alone
son they are
soñando dreaming
    soñando despierto daydreaming

sonido sound
sonreí I smiled
sonrisa smile
soplete blow torch
sorprendido surprised
sospechosa suspicious
sospechosamente suspiciously
sostenible sustainable
sostener to sustain
su his, her, their, your
suavemente smoothly
subió got in (vehicle), went up (mountain)
sucio filthy
sucres Ecuadorian currency before Ecuador adopted the US dollar.
sudar to sweat
sudor sweat
suelo ground, floor
suena: me suena sounds familiar to me
suero intravenous fluids
suerte luck
suficiente enough
sumamente extremely
supiste you found out
superficie surface
sureste southeast
susurraba whispered
tal such
   ¿qué tal te ha ido a ti? how has it been going for you?
talones talons, claws
también also
tampoco neither
tan so
   tan pronto que as soon as
tanque tank
tanto so much
tatuaje tattoo
tazas cups
te you, to you, for you, yourself (the translation often depends on what is used with the verb in English)
techo roof
tela cloth
temblando trembling
temblor small earthquake
temprano early
tendré que I will have to
tendremos we will have
tenía had
   tenía hambre was hungry
   tenía miedo was scared
   tenía que had to
   tenía vergüenza I was embarrassed
teníamos we had
   teníamos calor we were hot
   teníamos hambre we were hungry
   teníamos sed we were thirsty
   teníamos que we had to
tercera third
terminar to end
terminó: se terminó ran out
terrenos plots of land
territorio territory
tesoro treasure
ti you
tiendita small store
tiene has
   tiene ... años is ... years old
tienes you have
   tienes que you have to
   tienes razón you are right
tierra earth, dirt
Tigres Volantes Flying Tigers
tímido timid
típico typical
tiraron they threw
tiré I threw
   me tiré I dove (threw myself)
tocando touching
todavía still
todo all, everything
tomar to take
tono tone

torrenciales torrential
tos cough
trabajar to work
tradujo translated
traer to bring
tragedia tragedy
traje suit
tranquilizó: se tranquilizó calmed down
tranquilos calm
trataron they tried
tristemente sadly
triunfar to triumph
tronco trunk
tropas troops
tropezar: me hizo tropezar he tripped me (made me trip)
tu your
tú you
turno turn
tuve I had
tuve que I had to
tuviera: si no tuviera if I didn't have
tuviéramos: si no tuviéramos de qué vivir if we didn't have anything to live on
tuvimos we had
   tuvimos que we had to
tuyo yours
último last
un, una a, an
único only one
unidas united
uno que otro criminal a few criminals
unos some
usando using
usted you (formal)
vaca cow
vale it's worth
   vale la pena is worth it
valiente brave
valle valley

vapores vapors
vaso cup, glass
vaya: que les vaya bien that it goes well for both of you
vayamos: quiere que vayamos wants us to go
veces: a veces sometimes
vecinos neighbors
veían: se veían they looked, appeared
velas candles
vemos: nos vemos we'll see you
ven come
vencer to defeat
vender to sell
venga: la próxima vez que venga the next time that I come
vengas: quiero que vengas I want you to come
venir to come
ventana window
ver to see
verdad true
   de verdad really
verduras vegetables
veremos we will see
vergüenza embarrassment
vestidos dressed
veta vein
vez time
   otra vez once again
vi I saw
viaje journey
vida life
viejo old
viento wind
vista sight
visto seen
vivía lived
voces voices
volando flying
voleibol volleyball
volver to return
voz voice

94

vuelta flip, turn
  dio una vuelta turned
vuelto returned (pp)
ya now, by now, by this time, already
yuca a food like potatoes
Zaruma mining town in the Ecuadorian mountains

AGRADECIMIENTOS

Quisiera expresar mi gratitud a todas las personas que me han ayudado mientras escribía este libro.

Nunca habría sabido nada sobre la minería en el sur de Ecuador si no fuera por mi profesor universitario, mentor y querido amigo, Kris Lane. Gracias por tomar el riesgo de invitar a un estudiante sin experiencia a acompañarte en tu viaje de investigaciones. Viajamos por las selvas de Ecuador y Perú en la parte trasera de camionetas, encima de autobuses, en lanchas de motor y a pie. Me enseñaste a navegar por caminos poco transitados gastando muy poco dinero. Aprendí que allá es donde se encuentran las experiencias más profundas.

Agradezco a los muchos mineros artesanales en el sur de Ecuador que me recibieron en sus casas, me contaron sus esperanzas y sus sueños, me enseñaron las técnicas de su oficio y me llevaron a sus minas. Y agradezco a los indígenas ecuatorianos del Alto Napo que me recibieron en su comunidad, me enseñaron como sus vidas están integradas con la naturaleza y como las empresas multinacionales han amenazado su manera de vivir.

A Julie Davi, mi querida colega en Trinity Episcopal School, por revisar los primeros borradores y por servirme de "asesora comercial". He aprendido tanto de ti durante este proceso.

Agradezco a los editores de Blaine Ray Workshops y Command Performance Language Institute. Su talento y sus conocimientos especializados han hecho este libro más consistente y más lindo.

Finalmente, quisiera agradecer de manera especial a mi artista gráfica y esposa, Yvette. Tu visión y tu talento han contribuido de manera importante a la profundidad del libro. Tus increíbles habilidades maternales me dejaron tiempo y espacio para escribir. Tu confianza en mis capacidades fue el estímulo para enfrentar este reto. Te amo.

EL AUTOR

Vivir en Costa Rica por un año y en la República Dominicana por un semestre y hacer largos viajes a Nicaragua, Ecuador, Cuba, El Salvador, Perú, Haití, México, Panamá y Guatemala le mostró a **Chris Mercer** aspectos inolvidables del mundo. Sus aventuras fascinantes y a veces aterradoras han sido las fuentes de sus tres documentales: *Todo lo que brilla / All that Glitters*, una mirada dentro de las minas artesanales de Zaruma and Nambija, Ecuador; *When Pigeons Fly* (Cuando vuelan las palomas), entrevistas con chicos callejeros en la República Dominicana y el perfil de una casa que recibe a algunos de ellos; From Goochland to Havana (De Goochland a la Habana), una "conversación por video" entre estudiantes de primer año de español en un sector rural del estado de Virginia y estudiantes de arte al nivel universitario en la Habana, Cuba.

Sus viajes y su cinematografía han formado la base de su rico estilo dinámico de enseñar que incluye música, danza, cine y el método interactivo de instrucción que se llama TPRS (Teaching Proficiency Through Reading and Storytelling (Enseñar a dominar un idioma por medio de la lectura y la narración)). Da presentaciones sobre sus películas, cultura latina y/o TPRS.

Chris es apasionado por compartir su interés en Latinoamérica con el fin de crear una generación nueva de ciudadanos bilingües capaces de enfrentar retos internacionales con una fuerte base de comprensión cultural, confianza en sí mismos y compasión.

Vive con su esposa y sus dos hijos en Richmond, Virginia, su ciudad natal. Enseña actualmente en Trinity Episcopal School en Richmond.

ACKNOWLEDGMENTS

I would like to express my gratitude for the many people who helped throughout the writing of this book.

I would have never known anything about mining in southern Ecuador were it not for my college professor, mentor and dear friend, Kris Lane. Thanks for taking a chance inviting an unseasoned freshman on your research trip. We traveled through Ecuador and Peru on the backs of pick-up trucks and the tops of busses, on motorboats and on foot through jungles. You taught me to navigate the back roads on a shoestring budget, and I learned that that's where the richest experiences are found.

To the many artisanal miners of southern Ecuador who welcomed me into their homes, told me of their hopes and dreams, taught me the techniques of their trade and took me into their mines. And to the indigenous Ecuadorians of the Alto Napo who welcomed me into their community, taught me how their lives are integrated with the nature and how multinational corporations have threatened their way of life.

To Julie Davi, my dear friend colleague at Trinity Episcopal School, for proofreading early drafts and serving as my "business advisor." I've learned so much from you during this process.

I am grateful to my editors at Blaine Ray Workshops and Command Performance Language Institute. Your talent and expertise have made this book stronger and more beautiful.

A very special thank you to my graphic artist and wife, Yvette. Your vision and skill have added to the depth to the book, your incredible mothering allowed me time and space to write and your confidence in my abilities propelled me to engage this challenge in the first place. I love you.

THE AUTHOR

Living in Costa Rica for a year and the Dominican Republic for a semester and long-term trips to Nicaragua, Ecuador, Cuba, El Salvador, Peru, Haiti, Mexico, Panama, and Guatemala showed **Chris Mercer** a side of the world he would never forget. His fascinating, sometimes harrowing, adventures have become the basis for three documentary films: *All that Glitters*, a look inside the artisanal mines of Zaruma and Nambija, Ecuador; *When Pigeons Fly*, interviews with street kids in the Dominican Republic and profile of a home that takes a few of them in; *From Goochland to Havana*, a "video conversation" between Spanish I students in rural Virginia and college level art students in Havana, Cuba.

Travel and filmmaking have formed the basis of his dynamic, rich teaching style that includes music, dance, film, and the interactive TPRS language instruction method. He is available to give presentations about his films, Latino culture and/or TPRS.

Chris is excited about sharing his passion for Latin America with the ultimate goal of creating a new generation of bilingual, global citizens who can take on international challenges with a strong foundation of cultural understanding, confidence and compassion.

He lives with his wife and two children and currently teaches at Trinity Episcopal School in his home town of Richmond, Virginia.

NOVELAS

En orden de dificultad, empezando por la más fácil, las novelitas de Lisa Ray Turner y Blaine Ray en español son:

Nivel elemental:
  Berto y sus buenas ideas°* (de Magaly Rodríguez)

Nivel 1:
  A. Pobre Ana*†^∘ CD ■ ♪ #(sólo de Blaine Ray)
  A. Pobre Ana: Edición bilingüe (sólo de Blaine Ray)
  B. Patricia va a California*†∘ CD ■ ♪
     (sólo de Blaine Ray)
  C. Casi se muere*† CD ■ ♪
  C2. Amigos detectives (de Patricia Verano)
  D. El viaje de su vida*† CD ■ ♪
  E. Pobre Ana bailó tango (de Patricia Verano, Verónica Moscoso y
     Blaine Ray)

Nivel 2:
  A. Mi propio auto*† CD ■
  B. ¿Dónde está Eduardo?* CD ■
  C. El viaje perdido* CD ■
  D. ¡Viva el toro!* CD ■ ♪

Nivel 3:
  Los ojos de Carmen*∘ CD (de Verónica Moscoso)
  Vida o muerte en el Cusco
  Todo lo que brilla (de Chris Mercer)

Nivel 4 (y AP):
  En busca del Monstruo (de Pablo Ortega López
     y Patricia Verano)

* Existen versiones francesas:

Nivel elemental:
  Jean-Paul et ses bonnes idées (de Magaly Rodríguez)

Nivel 1:
  A. Pauvre Anne CD ■ ♪
  B. Fama va en Californie CD
  C. Presque mort
  D. Le Voyage de sa vie

Nivel 2:
  A. Ma voiture, à moi

B. Où est passé Martin ?

C. Le Voyage perdu

D. Vive le taureau !

Nivel 3:

Les Yeux de Carmen (de Verónica Moscoso) 💿

† Existen versiones alemanas:

Nivel 1:

A. Arme Anne

B. Petra reist nach Kalifornien

C. Fast stirbt er 📹♪

Nivel 2:

A. Die Reise seines Lebens

B. Mein eigenes Auto

^ Existe una versión rusa:

Бедная Аня

° Existen versiones inglesas:

Nivel elemental:

Berto and His Good Ideas (de Magaly Rodríguez)

Nivel 1:

Poor Ana

Patricia Goes to California

Nivel 3:

The Eyes of Carmen (de Verónica Moscoso)

Existe una versión italiana:
Povera Anna

> 💿 existe versión en CD audio.
> 📹 existe versión en película DVD.
> ♪ existe CD de cancion(es) del cuento.

GUÍAS PARA PROFESORES

Teacher's Guide for Spanish I Novels	Teacher's Guide for Spanish II Novels
(*Pobre Ana, Patricia va a California, Casi se muere* y *El viaje de su vida*)	(*Mi propio auto, ¿Dónde está Eduardo?, El viaje perdido* y *¡Viva el toro!*)